鄭均著

文史哲學集成

戰國紀事

文史哲出版社印行

戰國紀事 / 鄭均著. -- 初版.-- 臺北市 : 文史哲, 民82
面 ; 公分. -- (文史哲學集成 ; 290)
參考書目:面
ISBN 957-547-798-7(平裝)

1. 中國歷史 - 戰國(453-221BC)

621.8

文史哲學集成 ⑳

戰國紀事

著者：鄭均
出版者：文史哲出版社
登記證字號：行政院新聞局局版臺業字五三三七號
發行人：彭正雄
發行所：文史哲出版社
印刷者：文史哲出版社
台北市羅斯福路一段七十二巷四號
郵撥〇五一二八八一二彭正雄帳戶
電話：三五一一〇二八

實價新台幣三二〇元

中華民國八十二年七月初版

ISBN 957-547-798-7

戰國紀事序說

「戰國」一辭，原來的意思是指「三家分晉，田氏篡齊」之後，以兵威力征的七個諸侯強國。語出當代的「策士」之口（見於戰國策秦策四、楚策二、趙策三、燕策一各篇）。其用作中國歷史時代之稱，大致在西漢中葉以後（司馬遷作史記時，尚無春秋、戰國之稱。史記表列這兩個時代的大事，只分別稱爲「十二諸侯年表」與「六國年表」）。

戰國時代終止於西元前二二一年之秦滅六國，當然毫無疑義。但它的始年，歷來的史家却頗有歧異。最重要的可以拿下列三家作爲代表：

一、西漢司馬遷的史記，其六國年表始自周元王元年（西元前四七五年）。

二、北宋司馬光所主編的資治通鑑，記述自戰國至五代的史事，始自周威烈王二十三年（西元前四〇三年）「初命晉大夫魏斯、趙籍、韓虔爲諸侯」。

三、南宋呂祖謙的「大事記」，其述戰國則緊接著春秋而始於魯哀公十四年（西元前四八一年）。

不過，各家對於戰國時代始年認定的些微差異，於戰國史的研究，並無多大影響，我們毋須太重視它。

戰國時代雖然是戰亂紛起，中原鼎沸，但絕不能視作「黑暗時代」。事實上，這一時期正是我中華民族文化最具關鍵性的激變時期：在政治方面，春秋以前的封建制度崩潰，漸變爲君主專制制度。在社會方面，貴族的宗法制度消沈，庶民階級中的俊傑之士，獲得了脫穎而出的機會。在經濟方面，由於井田制度的廢除與農、工技術的進步，因而促進了商業的繁榮與大都市的興起。在學術方面，更是百家爭鳴，十流並起，興起了民間的自由學術。凡此，不但替繼之而起的秦漢大帝國之建立鋪路，同時也爲我國傳統人文精神的學術思想奠定了鴻基。從各方面來看，戰國時代的歷史，實在是國史中的一個重要環節。

但是，戰國時代流傳下來的史料，却是殘缺不全的。尤其是自左傳之終——魯哀公卒於有山氏（西元前四六八年）——下至周顯王三十五年（西元前三三四年）六國相繼稱王的一百三十三年，特別是魏、趙、韓三家受命爲諸侯之前的這一段，史文缺佚更多。致使此期間政治變遷與社會嬗替的端緒，茫昧難尋。這是何等令人扼腕興歎的事！

這種情形的造成，倒並不是由於時代久遠，而必須歸罪於「秦火」。先秦無私史，史籍都典藏於王室與諸侯。秦滅六國之後，忌恨於周室與列國的史記，語多譏訕，因而將它們盡付一炬，獨存「秦記」。早在司馬遷撰述史記的時候，有關六國的史事，就已苦於文獻不足，而不得不單獨依據「不載日月，文略不具」的「秦記」，作成「六國年表」（見史記六國年表序）。其世家、列傳各篇中，更多取材於縱橫家的「權變雜說」，來塡補罅隙。由於這種緣故，史記中有關戰國部分的記述，粗疏錯亂之處特多。

民國以來，科學的考古工作不斷發展，成果空前。大至於整座的城池、宮室，小至於器物、甲骨與簡策、帛書等，相繼出現。其中不少是有關戰國時代的古物與文獻，使我們對於戰國史的研究，獲得不少前人所未曾見的資料。尤其是那些重見天日的古文獻。例如：西元一九七二年山東臨沂縣銀雀山出土的「孫臏兵法」竹簡，一九七二年至一九七四年湖南長沙市馬王堆出土的「戰國縱横家佚書」帛書，一九七五年湖北雲夢縣睡虎地出土的「編年紀」竹簡等，都是極寶貴的戰國史料。憑藉這些新出土的資料，使我們這一代去古已遠的歷史研究者，竟得以替古人解決了好些疑案與難題。這未嘗不是件值得慶幸的事。

我國歷代之史，都有「紀事本末」之作。但宋袁樞的「通鑑紀事本末」，關於戰國部分，僅只「三家分晉」與「秦并六國」兩題，殊嫌簡略（這是由於資治通鑑原就略於戰國之故）。筆者有見及此，因嘗試以戰國時代的重大歷史事件爲題綱，撰成一書，名之曰「戰國紀事」。

至於有關戰國時代文化學術的介紹與評述，則古今名著如林，不在本書範圍之內。本書只略述傑出的戰國「諸子」墨翟等廿二人的生平事跡，綴於篇末。

筆者學識淺陋，書中疏漏謬誤之處，勢所難免。尚祈先進方家，不吝賜正。

中華民國八十年六月　著者自識

戰國紀事凡例

一、本書敍述戰國大事，起自三家分晉，止於秦滅六國，以事爲綱，戰國時代諸子之有往蹟行誼可考的，也分別列敍其事略。

二、書中敍述史事與引用原文，其出自史記一書的，多不加註，以免繁瑣。散見於其他各書的則註明出處。遇有需要考證、辨析的地方，也都在註釋中說明。

三、敍事的年代，以史記六國表爲主要依據，並參照林春溥戰國紀年與錢穆先秦諸子繫年附錄通表。並用周王與諸侯紀年，加註西元。

四、中國大陸地名，近年來頗多變易。由於資料不足，本書所註現代地名，悉仍舊稱。

五、書末附戰國大事年表，供讀者參考。

戰國紀事 目次

戰國紀事

一　三家分晉

周室東遷之初，晉昭侯（名伯，文侯仇之子。西元前七四五—七三九年）封其叔成師於曲沃（古曲沃在今河南省靈寶縣之東，不是現代的山西省曲沃縣），號爲桓叔。曲沃的城邑，竟大於晉都翼（今山西省翼城縣東南）。晉昭侯立後七年（周平王三十二年，西元前七三九年），昭侯爲大臣潘父所殺。桓叔欲圖入繼晉統，晉人不納，而立昭侯之子平，是爲孝侯。其後，曲沃桓叔之子莊伯稱兵入翼，弒孝侯。終爲晉人所敗，退還曲沃。晉人再立孝侯之子郄爲君，是爲鄂侯。鄂侯死，曲沃莊伯再興兵伐晉。周平王遣虢公伐曲沃，莊伯只得退兵。晉人共立鄂侯之子哀侯。曲沃莊伯死，其子稱立，是爲曲沃武公。曲沃武公於晉哀侯九年（周桓王十一年，西元前七〇九年）伐晉，俘殺哀侯，晉人又立哀侯子「小子侯」。旋曲沃武公又誘殺小子侯，晉人再立哀侯之弟緡爲晉侯，周僖王三年（西元前六七九年），曲沃武公伐晉侯緡，滅之，盡併其地。武公拿所掠奪的寶器賄賂周僖王，僖王因命武公爲晉君。

自桓叔始封曲沃，經莊伯以至武公，歷三世凡六十七年，處心積慮以謀篡晉，終得如願以償。此後歷代晉君，深恐宗室效尤，因而特別猜忌公族，晉獻公（名詭諸，武公子。西元前六七六—六五一年）時，大夫士蔿獻議，「盡殺桓、莊之族」（註一）。獻公並明令此後「國無公族」（註二）。晉獻公的夫人驪姬說得最坦率：「（晉）自桓叔以來，孰能愛親？唯其無親，故能兼翼。」（註三）

驪姬之難（註四）後，流亡列國十九年的晉文公終得入立。而武、獻所出的群公子，也多遠適異國以避禍。

晉國既極力排斥公族，因而歷代的執政者幾乎全是異姓大夫。

晉國諸異姓大夫之中，以趙氏得勢最早，掌權最久。晉獻公時，封大夫趙夙於耿（今山西省河津縣東南），是爲趙氏獲得封地之始。趙夙之弟趙衰隨晉文公流亡國外十九年，以他卓越的計謀與優長的辭令助文公博得諸侯的贊譽與支持。文公得國後，趙衰與狐偃（註五）同爲朝中最具權力的輔弼。到了趙衰之子趙盾繼爲「正卿」，歷襄、靈、成三公，百官總己以聽，更奠定了趙氏雄厚的政治勢力。晉景公（西元前五九九—五八一年）時，「六卿」（註六）之中，趙氏居其半數（趙穿、趙括、趙旃）。及至趙同、趙括被誅（註七），趙氏的氣勢一挫。晉平公（西元前五五七—五三二年）時，命趙武爲正卿，趙氏再盛。到了晉定公（西元前五一一—四七五年）時，趙簡子（趙鞅）擅朝政，專征伐，「趙名晉卿，實專晉權，奉邑侔於諸侯」（註八）。其子襄子無卹繼立，兼併北鄰代國（註九），又與韓、魏擊滅強橫的知氏，共分其地。三分晉國的情勢，乃告形成。

魏的祖先與周室同姓，相傳出文王庶子畢毛之後。其苗裔畢萬事晉獻公。獻公伐滅霍（故城在今山西省霍縣西南）、耿（故城在今山西省河津縣東南）、魏（故城在今山西省芮城縣東北）三國，以魏封給畢萬，其後遂以魏爲氏。魏犨（武子）爲從晉文公流亡國外的諸臣之一。晉悼公（西元前五七二—五五八年）時，魏絳以「和戎狄」有功。其孫魏荼（獻子），歷事晉昭、頃兩公，繼韓宣子（起）主政。此時，「六卿」（趙、魏、韓、知（智）氏、范、中行）聯合誅滅晉宗室祁氏與羊舌氏，瓜分其食邑十縣。從此晉室更爲衰微。

韓的先世，相傳是周武王之子（註一〇）。其苗裔事晉，封於韓（今陝西省韓原縣），因以韓爲氏。晉景公時，韓厥（獻子）與郤克領兵伐齊，敗齊頃公之師於鞍（今山東省平陰縣），以功命爲六卿之一。獻子卒，宣子（起）立，歷晉悼、平兩公，爲執政的正卿。他與趙、魏共滅公族祁氏、羊舌氏。至其子簡子（不佞），又與趙、魏、知氏共滅范與中行。歷莊子（庚）而至康子（虎），再與趙、魏共滅知氏。於是晉的強卿，只賸趙、魏、韓三家。

六卿之中的范氏是晉獻公時的士蔿之後，中行與知氏同出於荀氏。荀氏之先祖逝遨爲晉武公時的大夫，其後裔分爲中行與知氏兩族。范氏與中行較弱，在晉定公二十一年（西元前四九一年）爲另四家所滅。知伯瑤繼趙簡子之後專政（西元前四五八年）。他的野心極大，聯合趙、魏、韓逐晉出公而立懿公（一作哀公，昭公之曾孫）爲傀儡。他又恃強向趙、魏、韓三家索地（註一一）。魏、韓逼於他的威勢，只得給了他，獨趙襄子吝而不與。知伯與趙襄子素有嫌隙──晉出公十一年（周貞定王五年，西元前四六四年），趙簡子命太子無卹會知伯瑤伐鄭。知伯乘醉以酒「灌擊」無卹，無卹雖隱忍，但心慍知伯。知伯歸而言於趙簡子，想使簡子廢無卹，簡子不聽。簡子卒，無卹立，是爲趙襄子──於是率韓、魏攻趙。趙襄子不敵，奔保晉陽（今山西省太原）。三家進圍晉陽年餘，城中到了「懸釜而炊，易子而食」的境地。三家又掘汾水灌城，「城不沒者三版」。最後趙襄子用其相張孟談之策，暗約韓康子、魏桓子反攻知伯、殺知伯而共分其地。知伯之子知開和他從屬的邑人奔往秦國。於是晉國形成了趙、魏、韓三家鼎立的局勢。

晉懿公卒，子幽公（柳）立。幽公之時，晉室的領地只賸下絳（就是翼）與曲沃兩邑，反朝於趙、魏、韓三家之君。後來幽公夜出邑中「冶遊」，爲盜所殺（註一二）。魏斯（後來的文侯，桓子之子）以兵平亂，立其弟（註一三）止，是爲烈公。周威烈王二十三年（西元前四〇三年），周王命趙、魏、韓皆爲諸侯。其時晉室仍未絕祀。

晉烈公傳子孝公（頎）。周安王二十六年（西元前三七六年），趙、魏、韓瓜分晉室的絳與曲沃兩邑，改「封」孝公於端氏（今山西省沁水東北），後又徙於屯留（今山西省屯留縣南）。孝公傳子靜公（俱酒），韓又奪其屯留，廢靜公爲庶人（註一四）。此時，田氏已篡齊，僻處東北的燕國也興起來了，戰國七雄並爭的局勢乃告形成。

【註釋】

註一　見左傳莊公二十三年——二十五年。史記晉世家誤作「誅故晉之群公子」。事實上故晉之群公子，早在武公篡晉時誅逐淨盡了。

註二　見國語晉三。

註三　見國語晉一。

註四　獻公晚年，寵愛驪戎之女驪姬，生子奚齊。隨嫁的「娣」生子卓子。驪姬存心奪嫡，進言於獻公，將太子申生與諸公子盡行分遣在外，只留奚齊，卓子居於絳都。驪姬又用毒計逼太子申生自殺。公子重耳、夷吾等逃亡國外。獻公死（西元前六五一年），奚齊繼立。大臣克里等殺奚齊。卓子繼立，又被殺。夷吾得秦國之助入立，是爲惠公。旋惠公與秦交惡。惠公死，子懷公立，主幼國疑，局勢不穩。秦穆公又送重耳返國，晉人殺懷公而立重耳，是爲文公。

註五　狐偃爲唐叔之後，與晉室同姓。

註六　晉景公十二年（周定王十九年，西元前五八八年），晉始作六軍。六軍的正將皆爲「卿」，於是晉有「六卿」。六卿之爲趙、魏、韓、范、中行、知氏六家所專，大致始於晉悼、平兩公之際。

註七　春秋經成公八年「晉殺趙同、趙括」。史記所述屠岸賈滅趙氏事未可信據，詳清武英殿本史記卷四十三考證。

註八　見史記趙世家。

註九　代國是狄人所建（史記趙世家述趙簡子夢上帝以「翟犬」留給其子，影射趙襄子滅代。因知代原是狄族）。它的領土，大致東至今河北省淶源，南至山西省代縣，西至山西省山陰，北至綏遠省興和（春秋、戰國時代國的疆域已不可考。今參考漢書地理志所列代郡十八縣的範圍，應該相去不遠）。趙簡子覬覦其地，未能到手。襄子繼立，邀宴代王（失其名）。酒酣時命廚人以大銅斗擊殺代王，因滅其國，以之封給兄子趙周，號爲「代成君」。代王的夫人，是趙襄子之姊，聞耗「磨笄」（將頭簪磨利）自殺（趙襄子殺代王事，除史記趙世家外，尚見於張儀列傳，戰國策燕策，呂氏春秋長攻篇等處。以呂覽所敘最詳）。

註一〇　左傳僖公二十四年云：「邘、晉、應、韓，武之穆也。」

註一一　史記晉世家云：「知伯遂有范、中行地，最強。」據此，則其向三家所索取的土地，當是滅范、中行所分得者。

註一二　事在西元前四二〇年。此依史記晉世家。索隱引竹書紀年云，幽公爲其夫人秦嬴所殺。

註一三　此依史記六國年表。晉世家謂爲幽公之「子」。

註一四　三家分晉餘地的記述，史記六國年表與趙世家等均有誤。詳清梁玉繩史記志疑卷二十三。

二　田氏篡齊

春秋時陳文公（西元前七五四—七四五年）的少子陳佗（又稱爲「五父」），殺其兄桓公鮑（西元前七四四—？年）的太子免而自立爲國君。接著，蔡人殺陳佗而改立桓公次子躍，是爲陳厲公（註一）。陳佗之子陳完，因父有篡弒之罪，不見容於國人，乃逃往齊國（註二）。齊桓公命爲「工正」之官。時爲周惠王五年（西元前六七二年）。陳完卒，諡爲「敬仲」。

齊國的陳氏改稱田氏，大致在篡齊之後——也就是戰國時代開始後。史記自陳完奔齊起即稱爲「田」，後世史家也多隨著誤稱（註三）。

陳完之子文子（須無）事齊莊公，有賢名。崔杼弒齊莊公（事在周靈王二十四年，西元前五四八年），文子既無力討賊，又不肯附逆，乃去而適他邦，亂平後復返齊國（註四）。

陳文子歿後，其子桓子（無宇）與其孫僖子（乞）兩代事齊景公。他們收租稅時，以「小斗」入而以「大斗」出，行「陰德」收買民心（註五）。於是陳氏的權勢日益壯大，而其宗族也日益昌盛。

齊景公夫人燕姬所生嫡子早死，景公薨，相國惠子夏與高昭子強遵遺命立景公寵妾芮姬所生的晏孺子（名荼）爲君。陳乞（僖子）聯合大夫鮑牧等逐國惠子與高昭子（註六），廢殺晏孺子而立他所親近的公子陽生，是爲齊悼公。於是陳乞爲相，專齊政四年。陳乞卒，子恆（註七）立，是爲陳成子。大夫鮑牧因隙弒齊悼公，齊人共立其子壬，是爲簡公。陳恆與大夫監止爲左、右相。監止有寵於簡公，深爲陳恆所忌。監止欲圖陳恆，陳恆先下手率眾攻殺監止，並弒簡公而立其弟驁，是爲平公。陳恆專相。在五年之間，盡殺晏、鮑、監諸族與較強大的公族。割齊國自安平（故城在今山東省臨淄縣北）以東，以至瑯邪（故城至今山東省諸城縣東南）之地，自爲封邑，比平公的領地還要大。陳恆卒，其子襄子（盤）繼立，相齊宣公，盡命其兄弟宗人爲都邑大夫，並與三晉（註八）通好。至此，齊國實際上已歸於陳氏。再經莊子（田白）而至田和，傀儡齊莊公荒淫於酒色，爲田和所廢，放逐到海濱的一個小城，爲其食邑（註九）。這時，趙、魏、韓已爲諸侯。田和與魏文侯會於濁澤（魏地，今河南省臨潁縣西北），求爲諸侯。魏文侯遣使言於周天子與列國，得到周王的應允與列國的承認，於是田和正式成爲齊侯，是爲田齊太公。時爲周安王十六年（西元前三八六年）。

【註釋】

註一　厲公之母爲蔡女。

註二　史記陳世家與田敬仲世家所述都有錯誤，當依春秋經傳爲正。詳史記志疑卷十九。

註三　史記田敬仲世家云：「敬仲如齊，以陳字爲田氏。」史記志疑辨云：「春秋經傳，從未稱陳爲田。」案：論語公冶長篇之「陳文子」與憲問篇之「陳成子」、「陳恆」等稱，也足證改「陳」爲「田」在成子以後。

註四　陳文子去齊的事，不見於春秋經傳，論語公冶長篇有之。

註五　史記田敬仲世家只述爲田僖子事。而齊太公世家中，景公九年，晏嬰有「齊政卒歸田氏……田氏以公權私，有德於民，民愛之」之語，則尚是田桓子用事時。大致桓子與僖子都以此爲收買民心的手段。

註六　左傳云：國惠子奔莒，高昭子奔魯。但史記云「殺高昭子」，與左傳異。

註七　史記避漢文帝諱，改「恆」爲「常」。

註八　時趙、魏、韓三家已共滅知氏。

註九　周安王二十三年（西元前三七九年），康公死，其祀遂絕。

三　魏文侯的勵精圖治

魏國立國之初，其主要的領地據有「河東」（大致爲今山西省）的中南部與「河內」（今河南省境內的黃河北岸部分）。在「河西」（今陝西省沿黃河部分）地區，尚有北起少梁（今陝西省韓城），南至鄭（今陝西省華縣）一帶。都是故晉的精華地區。

魏斯（文侯）繼立於周威烈王二年（西元前四二四年），威烈王二十三年初列爲諸侯。他尊賢禮士，知人善任，頗有賢君的氣度。

魏文侯延聘當時的名儒子夏（卜商）、田子方（名無擇）、段干木等居於國中，尊爲師友，諮詢政事。他所任用的朝臣，如李克、李悝（註一）、翟璜、魏成（文侯之弟）等，也都很賢良。尤其是李悝爲文侯實施「盡地力之敎」以勸耕，行「平糴」法以調節農產的豐歉，由於經濟的發展，魏國因致富强。

秦、晉自春秋時起，兩國即因爭奪「河西」之地而戰爭不絕。魏文侯以吳起爲將伐秦，屢敗秦師。並在少梁、臨晉（山西省今縣）、雒陰（今陝西省大荔縣）、郃陽（今陝西省郃陽縣）等地築城，以吳起爲「西河守」以拒秦。

魏文侯又以樂羊爲將，借道於趙以攻取中山（註二）。初命太子擊（後來的武侯）鎮守，後以其地封給他的少子摯。

魏文侯任命西門豹爲鄴（今河南省臨漳縣西）令。西門豹至鄴，首先革除民間「河伯娶婦」的迷信（註三），發民修治漳水（註四），開渠十二道，引河水灌溉農田。於是「河內」地區農業大盛，民生富庶。

當戰國初期，列國之間以魏國最強盛。魏國也以承襲晉國的傳統自命，甚至仍自稱爲晉國（註五）。

【註釋】

註一　史記貨殖列傳有「李克務盡地力」之語，昔人因謂「克」、「悝」一音之轉，是同一人。但漢書古今人表分明列爲兩人。漢書食貨志與劉向「別錄」也只說「盡地利」是李悝的事。恐是貨殖列傳偶因二字音近而誤爲一人。

註二　見本書第四篇。

註三　史記滑稽列傳所述河伯娶婦之事，其中情節難免有所渲染，但決非全出虛構。史記六國年表：秦靈公八年（西元前四一七年），「初以君主妻河」。可知秦、晉河域，都有此陋俗。

註　四　漳水有清、濁二源：清漳出山西省平定縣東南，流經和順、遼縣，入河南省涉縣，再至林縣合於濁漳，東經安陽入臨漳。古漳水流程甚長，自臨漳東北流經今廣平、丘縣、威縣、清河、棗強、阜城、交河等縣，匯滹沱河至青縣入於衛河。今漳水則自臨漳東北流至河北省大名入於衛河。

註　五　如梁惠王告孟子云：「晉國天下莫強焉……及寡人之身……」見孟子梁惠王上篇。

四　魏文侯滅中山

戰國初的中山，就是春秋時代的鮮虞。相傳鮮虞是「姬姓之在狄者」（註一）。這是說，其君主出於周室的姬姓，而所統治的族眾卻是狄人。正如東南的吳，以周室的王子而君臨「荊蠻」（註二）一樣。

依據春秋經傳，晉國在討滅潞氏（西元前五九四年）、甲氏、留吁（西元前五九三年）、廧咎如（西元前五八八年）各部族之後，方有與鮮虞接觸的記載。自魯昭公十二年（西元前五三〇年）起，至哀公六年（西元前四八九年）止，晉與鮮虞，共發生了十二次戰爭（註三）。

中山的國名，首見於左傳定公四年（註四）。此後，「中山」與「鮮虞」之稱，互見於左傳。大致鮮虞是其種落名，中山則是國名。其正式建國，當即在春秋末葉。

三家分晉之後，中山處於燕、齊、趙三國之間。自春秋末以來，齊國常合鮮虞以伐晉（註五），因而視它爲與國，並無吞併的野心。燕國則因自身國勢較弱，依賴中山作爲屏障，避免齊、趙的侵略，對之也無敵意。趙國卻覬覦中山已久。更因爲趙氏從前與范氏、中行的鬥爭中，中山支援二氏甚力，因而結恨。但趙烈侯未及進兵中山，卻被魏文侯搶先一步。

周考王九年（魏文侯十四年，西元前四三二年），魏文侯派樂羊（樂毅的先祖）爲將，借道於趙以攻中山。歷時三年，卒將它攻拔。

趙國之所以允許魏國假道以攻中山，固屬是逼於魏國的威勢。但另一方面也未嘗不是打算坐收漁人之利（註六）。到了魏文侯併滅中山之後，趙國連年進兵中山，想從魏國手中，奪取這片土地。後來魏國在中山鄰近趙國的一邊築了一道長城堅守，趙始知難而退（註七）。

魏文侯既得中山，初時命太子擊（後來的武侯）前往坐鎮，並以賢能的趙倉唐與李克做他的輔佐（註八）。後來召回太子擊，改以少子摯封於中山（註九）。自此中山各代君主，即由魏摯的子孫世襲，其後並繼齊、魏、燕、韓、趙等國之後稱王。直到周赧王二十年（西元前二九五年），乃爲趙武靈王所滅。魏所立的中山，共歷一百一十三年（註一〇）。

【註釋】

註　一　國語鄭語史伯對鄭桓公有云：「當成周者……北有衛、燕、狄、鮮虞、潞、洛、泉、徐蒲」。鄭桓公爲司徒，在周幽王（西元前七八一年—七七一年）末年。鮮虞之名，首見於此。考之春秋經傳，狄分「

赤狄」、「白狄」兩種。又有所謂「長狄」，大致是「赤狄」的一支。杜預注左傳（昭公十二年）云：「鮮虞乃白狄別種」。蓋以爲晉國既已先滅赤狄之潞氏、甲氏、留吁（事在魯昭公十五、十六年），旋又滅「赤狄之餘」廧咎如，是赤狄已盡，故推斷鮮虞當屬白狄。案：左傳成公十三年，晉侯使呂相絕於秦，有「白狄及君同州」之語。可見白狄的居地，與秦國同在雍州，而鮮虞卻在冀北，二族相距甚遠，殊難斷定其必爲同種。

註二　史記吳太伯世家云：「太伯、仲雍二人，乃奔荆蠻……自號句吳」。是吳地也稱「荆蠻」。

註三　春秋經昭公十二年（西元前五三〇年），「晉伐鮮虞」；左傳昭公十三年，「晉荀吳……侵鮮虞……大獲而歸」；春秋經昭公十五年，「晉荀吳帥師伐鮮虞」；左傳昭公二十二年，「晉襲滅鼓（鮮虞屬邑）」；左傳定公三年（西元前五〇七年），「鮮虞敗晉師於中平」；春秋經定公四年，「晉士鞅、衛孔圉帥師伐鮮虞」；定公五年，「晉士鞅帥師圍鮮虞」，左傳哀公元年（西元前四九四年），「（魯）師及齊師……衛……鮮虞人伐晉」；哀公三年，「齊、衛圍戚（晉邑），求援於中山」；哀公四年，「（齊）國夏伐晉……會鮮虞」；春秋經哀公六年，「晉趙鞅帥師伐鮮虞」。

註四　晉荀寅言於范獻子：「國家方危，諸侯方貳……中山不服」。

註五　見註三。

註六　韓非子說林上篇云：「魏文侯假道於趙以攻中山，趙肅侯（應爲烈侯之誤）將不許。趙刻曰：「君過矣、魏攻中山而弗能取，則魏必罷（疲），罷則魏輕，魏輕則趙重。魏拔中山，必不能越趙而有中山也。是用兵者魏，得地者趙也。」」由此可見趙之終於允許魏國假道，是別有用心的。

註　七　詳史記趙世家。

註　八　李克之治中山，除魏世家外，又見於韓非子外儲說左下與難二等篇。呂氏春秋適威篇也有「魏武侯之居中山也，問於李克」等語。

註　九　魏文侯封少子於中山的事，不見於史記，而韓詩外傳卷八與說苑奉使篇均有之。

註一〇　見本書第二二篇。昔人以史記樂毅傳有「中山復國，至趙武靈王復滅中山」之語，遂誤以為是原鮮虞的中山復國。實則所謂「復國」，是指魏所立的中山君，獨立成為一個諸侯。此於沈欽韓漢書疏證中已言之。說詳先秦諸子繫年考辨第五二。

五　聶政刺殺韓相俠累

韓烈侯（西元前三九九年—三八七年）時，俠累（註一）為相，與同朝的濮陽（故城在河北省今縣之南）人嚴遂（字仲子）有嫌隙。一日，兩人在朝堂上發生口角，嚴仲子拔劍衝向俠累，為其他朝臣排解，得免釀成流血事件。嚴遂畏罪逃去，並尋訪勇士，給他報仇。

嚴遂到了齊國，聽說有個勇士，叫做聶政。他是魏國軹邑（今河南省濟源縣東南）深井里人，因殺人，奉母、姊避仇來齊，以屠狗為業。嚴遂設法結識聶政，「具酒觴聶政母前，奉黃金百鎰，為聶政母壽」。聶政怪他禮重，固辭說：「小人家貧母老，流寓在外，操屠狗的賤業，早晚博得些肥美的食物奉養母親。今日幸能供養無缺，實在不敢接受您的厚賜。」嚴仲子屏人對聶政吐露出有仇未報的心意。聶政告以「老母在，政身未敢以許人也」。嚴仲子執意要他收下黃金，聶政終不肯接受。仲子只得盡賓主之禮而去。

後來聶政之母過世，聶政在喪葬完畢，服滿之後，感於當日嚴仲子的屈尊相交，決志「爲知己者用」。於是前往濮陽，會見嚴仲子。問他：「仲子所欲報仇者誰？」嚴遂告訴他：「我的仇人是韓相俠累。他是韓侯的叔父，貴盛而且宗族眾多，居處兵衛森嚴。我曾經派人去行刺未能成功。今蒙足下相助，我可以多派車騎壯士，作足下的輔翼。」聶政說：「人多容易洩謀，反而壞事。」於是辭謝一切，「獨行仗劍」入韓。

這一日，俠累在府中，身邊簇擁著一群手持兵戟的衛士。聶政排闥直入，上階刺殺俠累。左右大驚，亂作一團。聶政大呼，又斬殺了數十人。然後自己用劍劃破面皮，挖出眼珠，「自屠出腸」而死。

韓廷將聶政的屍體放置在街市中示眾，懸賞千金，募求識者。聶政是個沒有名氣的外鄉人，兼之容顏已毀，因此，沒有人能夠辨認爲誰。

聶政的胞姊名榮（一作嫈），在家鄉聞說韓相被刺死，兇手自戕，無人能夠辨認出來。她懷疑恐是自己的胞弟。於是前往韓都（陽翟），認出街頭的陳屍果然就是聶政。聶榮痛哭道：「吾弟父母都已亡故，又沒有兄弟。他的死而不令人知道，顯然只是顧慮我的安全而已。我何忍逃避殺身之禍而埋沒吾弟的義烈聲名！」於是抱屍痛哭，告訴眾人說：「這人是吾弟聶政，他是軹邑深井里人。」說罷，也自殺死在聶政屍體的旁邊。時爲周安王五年（西元前三九七年）。

晉、楚、齊、衛各國的人知道了，都讚歎說：「何獨聶政是個無雙的勇士，其姊也不愧爲一個曠代的烈女！」（註二）。

【註釋】

註　一　戰國策作韓傀。

註　二　史記刺客列傳與戰國策韓策二都記有此事。史記十二諸侯年表與韓世家都說是韓烈侯三年（周安王五年，西元前三九七年）時事，但刺客列傳卻作韓哀侯（西元前三七六—三七五年）時。當以前者爲正，辨詳戰國策校注韓策二吳師道補正。

六　吳起的仕魏相楚與其死

吳起，衛國人。少時「家累千金」，因「游仕不遂」，以致家業蕩盡。離衛去到魯國，師事曾子（註一）。後來再學兵法，仕魯（穆公）爲將，大破齊軍（註二）。旋爲魯君所疑，聞魏文侯招賢，遂去而適魏。

魏文侯身邊的重臣李克，稱讚吳起的用兵，雖司馬穰苴（註三）也比不過他。於是魏文侯用他爲將伐秦，拔取了五個城邑。

吳起之爲將，「臥不設席，行不乘騎」，與士卒同甘苦。甚至士卒生有毒瘡的，吳起親自爲他吮瘡。因此「盡得士心」，戰無不勝。後來，魏文侯命他爲「西河守」以拒秦、韓，於是「秦兵不敢東鄉，韓、趙賓從」。

魏文侯死，子武侯立（西元前三九五年）。讒臣王錯在武侯跟前譖吳起（註四）。吳起懼獲罪，乃去而之楚。

楚悼王素聞吳起賢能，吳起初至楚時，即任用他爲宛（治今河南省南陽縣）守。一年後，又擢升他爲「令尹」（相）（註五）。

吳起既爲令尹，就開始厲行變法。他的變法措施，最重要的有下列數項：

㈠裁汰冗員以養兵——「罷無能，廢無用，捐不急之官」，「以撫養戰鬥之士」。

㈡裁抑貴族——「廢公族之疏遠者」，「封君之子孫，三世而收爵祿」，「令貴人往實廣虛之地」。

㈢澄清吏治——「塞私門之請，壹楚國之俗」。

㈣杜絕游說之士——「破縱散橫，使馳說之士無所開其口」（註六）。

吳起在實行變法的過程中，不用說嚴重地傷害了貴族們的既得利益，因此遭受到他們的强烈反對。但由於吳起的作法得到楚悼王的有力支持，因此他仍無所畏懼地施展鐵腕，貫徹自己的主張。

吳起在楚國的政治改革，很快地就收到了立竿見影的效果。楚國不但將領土擴張到了南越的蒼梧（今湘、桂兩省接界之處）（註七），而且又戰勝魏國，「飲馬於大河」（註八）。

但不幸就在楚國大勝魏國的同一年（西元前三八一年），楚悼王死。積怨已久的楚國宗室、大臣，聯合起來攻擊吳起。吳起倉皇逃到停靈的地方，伏在悼王的屍身上。作亂的徒眾，射殺了吳起，同時也射中了王屍。由於「麗兵」於王屍，是一項大逆不道的罪名，嗣位的肅王，命令尹究治。宗室、大臣受到「夷三族」重刑的，多達七十餘家。

【註釋】

註一　史記本傳云：「嘗學於曾子」；呂氏春秋當染篇云：「曾子學於孔子……吳起學於曾子」。這都是指學於曾參。但劉向別錄云：「起受春秋左傳於曾申」。曾申是曾參之子，當魯穆公（西元前四〇七—三七七年）時。禮記檀弓篇中，也稱他為「曾子」

註二　史記本傳說：由於吳起的妻子是齊國人，吳起因免魯君疑心，竟「殺妻求將」。但韓非子外儲說右上篇只說吳起因其妻織組（帶）「不中度」（不合規格）而休妻。

註三　春秋齊景公時名將。

註四　史記本傳說魏相公叔痤害吳起。然據戰國策魏策一，公叔痤為魏將，敗韓、趙之師於澮。痤不敢居功，自言是出於「吳起之餘教」。於是魏王訪尋吳起之後，賜田「二十萬」。觀乎此，則他以前不應有譖吳起之事。呂氏春秋說譖吳起於魏武侯的是王錯。迭見於長見、執一、觀表各篇，似較可信。

註　五　見說苑卷十五指武篇。

註　六　以上散見於史記本傳、戰國策秦策三、韓非子和氏篇、呂氏春秋貴卒篇等。

註　七　漢書南蠻傳云：「吳起相悼王，南併蠻越，遂有洞庭、蒼梧」。史記本傳有「南平南越，北併陳、蔡」之語。但楚滅陳在惠王十一年（西元前四七八年），滅蔡在惠王四十二年（西元前四四七年），均在悼王之前。

註　八　事在西元前三八一年。見戰國策齊策五蘇秦語。

七　齊威王發奮為雄

齊威王即位（周安王二十三年，西元前三七九年）之初，沈湎酒色，不問國事，委政於卿大夫。以致「百官荒亂，諸侯並侵（註一）」。這樣的昏憒歲月過了漫長的九年，到了周烈王六年（西元前三七〇年），齊威王終於從迷夢中醒覺過來（註二）。

他先從整飭內政做起：召見諸縣令長七十二人。獎賞治績優異的即墨（故城在今山東省平度縣東南）大夫，封以萬戶；誅戮失職的阿（今山東省穀陽縣東的阿城鎭）大夫以及他所勾結的朝中佞臣。於是「群臣聳懼，莫敢詐飾，務盡其情，齊國大治（註三）」。然後奮兵而出，諸侯震驚，盡還齊侵地。

齊威王知人善任，從諫如流。他下令國中：「群臣吏民，能面刺寡人之過者，受上賞；上書諫寡人者，受中賞；能謗議於市朝，聞於寡人之耳者，受下賞（註四）。」他用游士鄒忌爲相，鄒忌長於謀略，同時也能「謹修法律而督奸吏（註五）。」他所任命的良將田忌、孫臏、章子（註六）等，先後擊敗魏、秦等强國。他又命檀子（史佚其名）守南城（即南武城，在今山東省費縣西南）以防楚；命田肦守高唐（今山東省禹城縣西南）以防趙；命黔夫守徐州（此徐州今地不詳）以防燕；命種首備盜賊。因此內外安謐，在當時的諸侯中最稱强盛。

【註釋】

註　一　西元前三七八年，三晉聯合伐齊，至於靈丘（齊之南境，今山東省滕縣東）；前三七三年，燕敗齊師於林狐（今地不詳）；同年，魯伐齊，入陽關（今山東省泰安縣西南），魏伐齊，至博陵（今山東省博平縣西北）；前三七〇年，趙伐齊，至鄄（今山東省濮縣東）。這些入侵，都見於六國年表與各世家。

註　二　史記滑稽列傳有淳于髡以「國中有大鳥，止王之庭。三年不蜚，又不鳴」的隱語激齊威王，威王答以「不蜚則已，一蜚沖天；不鳴則已，一鳴驚人」，因而發奮的敘述。這與楚世家伍舉諷楚莊王事（呂氏春秋重言篇與劉向新序卷二均有此）如出一轍。恐是淳于髡借用前人的隱語以諷威王。

註　三　資治通鑑語。

註　四　見戰國策齊策一。

註　五　見田齊世家。

註　六　章子擊敗秦軍的事，見於戰國策齊策一。戰國策中章子凡四見（齊策一、齊策六、趙策四、燕策一）。其人應該就是孟子書中（離婁下篇）所述的匡章。說詳先秦諸子繫年考辨第九四。

八　齊國的稷下尊賢

魏文侯首開戰國諸侯尊禮賢士的風氣，以卜商（子夏）、田無擇（字子方，子貢弟子）（註一）等名儒爲師。尤以延請子夏「居西河教授」，對於儒學的傳播，其功更不可沒（註二）。但人亡政息，文侯歿後，魏國養賢之風遂告衰微。

繼之而起的，厥爲田齊。齊國的稷下（註三）招賢，大致始於齊「桓公」田午（「太公」田和之子）（註四），而以威、宣兩王時爲最盛。天下賢士會聚於稷下者多達數百人。其中鄒衍、淳于髡、田駢、接子、愼到、環淵等七十六人，都「賜第爲上大夫，不治而議論」（註五），並傳授生徒（註六）。齊湣王末年，矜功自恣，卒致敗亡，稷下群賢，也漸次星散（註七）。復國後襄王即位，重修稷下之禮，學士儒生，又漸來齊。此時，以齒德最高的荀卿爲諸賢「祭酒」（註八）。

齊國的稷下尊賢，經歷桓、威、宣、湣、襄五代君主，垂百年而未絕。在那個諸侯力征，競以武力相尙的時代，也可以算得是難能可貴了（註九）。

【註釋】

註一　田子方見莊子田子方篇與呂氏春秋當染篇。

註二　春秋時孔子周游授徒，足跡所至只限於魯、衛、齊、宋等東方國家。

註三　齊、魯等國都有「稷門」，大概是由於祭祀稷神設壇之處而得名。魯國的稷門在都城之南；齊國的稷門在都城之西。稷門之內的地方稱爲「稷下」。也有作「棘下」的，恐怕是由於字音相同而訛誤。

註四　漢徐幹中論亡國篇云：「齊桓公立稷下之宮，設大夫之號，招致賢人而尊寵之。孟軻之徒皆遊於齊。」

註五　見史記田齊世家及孟荀列傳。

註六　太平寰宇記卷十九引史記云：「（淳于）髡死，諸弟子三千人爲縗絰」（今本史記無此）。可爲證。

註七　漢桓寬鹽鐵論論儒篇云：「湣王……矜功不休，百姓不堪。諸儒諫不從，各分散。愼到、捷（接）子亡去，田駢如薛，而孫（荀）卿適楚。」

註八　史記孟荀列傳云：「齊襄王時……尚修列大夫之缺，而荀卿三爲祭酒焉。」

註九　孟子在齊出仕爲卿，不在稷下先生之列。說詳先秦諸子繫年考辨第七六。

九　東西周分治

周武王克殷之後，即「營周居於雒（洛）邑」。成王繼立，平定武庚、管、蔡之亂，召公、周公又相繼從事於雒邑的建設，尤以周公致力於此最多。周公建立「王城」（即郟鄏，故城在今洛陽城西五里）以安置九鼎，其處又名「河南」。另外又在它的東北建立「下都」（在今洛陽城東北二十里）以居殷商「頑民」，其處又稱「成周」。

周室東遷之初，其畿輔跨越大河南北，尚頗廣闊。周襄王（西元前六五一—六一九年）時遭王子帶之亂（註一），晉文公出兵勤王。事定後襄王以「河內」（大河以北）的陽樊、溫、原、欑、茅等邑（今河南省濟源、博愛、修武、武陟、溫、沁陽等縣地方）的大片土地賜給文公以爲酬庸（註二）。此外，春秋時周地受列國零星侵占的也往往有之。如：敬王（西元前五一九—四七六年）時鄭國攻取周的負黍（今河南省登封縣西南）（註三），即是一例。入戰國後，周室還不時遭受列國的侵奪（註四），周室覆亡之前，合東西兩周已只賸河南（今洛陽西）、洛陽（今縣東北）、穀城（今洛陽西北）、平陰（今孟津縣東）偃師（今縣）、鞏（今縣西南）、緱氏（今偃師縣南的緱氏鎮）等七縣之地。（註五）

自周平王以下，十二世的周王都居於「王城」。到了周敬王，由於王子朝之亂（註六），遷居成周。從此以後，有九世周王都居「成周」。直到末代的赧王，又再遷居「王城」（依於西周君）。

周考王（西元前四四〇—四二六年）初立時，分封其弟揭於「河南」，「以續周公之官職」。這就是所謂「西周」桓公。桓公傳子威公，威公傳子惠公。惠公又分封少子班（亦謚惠公）於鞏「以奉王（顯王）」，稱為「東周」。到此，周的餘土乃分裂為東、西兩個小國，其國君分別稱為「東周君」與「西周君」（註七），一都洛陽，一都「河南」。兩周領土與國勢雖微不足道，卻仍時常發生蠻觸之爭（註八）。至於此時的周王，雖也偶而對諸侯行「致伯」、「賜胙」之禮，但已無尺土，只是徒擁虛號而已。

戰國策所稱的東、西兩周，是指都於洛陽（成周）的東周君與都於「河南」（王城）的西周君而言。讀史的人頗有將它們與平王東遷前後，都於鎬京的西周與都於雒邑的東周兩個時代相混淆的，不可不辨。

【註釋】

註 一 周襄王廢「狄」后（襄王之后為狄女），王子帶（襄王之弟）乘機引狄人入寇。襄王出居鄭國，王子帶自立為王。晉文公出兵勤王，殺王子帶，迎襄王復位。事見左傳僖公二十五年。

註 二 見左傳僖公二十五年。

註 三 見左傳定公六年。

註 四 如：韓昭侯六年，伐東周，取陵觀、邢丘。見史記韓世家。

註 五 見漢書地理志，這些都是漢時縣名。史記周本紀集解引徐廣云：「周比亡之時凡七縣：河南、洛陽、穀城、平陰、偃師、鞏、緱氏」。

註 六 周景王的長庶子朝殺悼王猛而自立。晉人攻子朝而立子丐，是為敬王。初時王子朝據王城，敬王不得入，因居成周。其後王子朝奔楚，敬王仍留成周，未再遷回王城。事見左傳昭公二十二至二十六年。

註七　史記趙世家云：「（趙）成侯七年（西元前三六八年），與韓攻周。八年，與韓分周為兩」。韓非子內儲說下篇云：「公子朝（當為「宰」之訛），周太子也。弟公子根有寵於君。君死，遂以東周叛，分為兩國」（同書難三篇也有大致相同的敘述）。呂氏春秋先識覽云：「周威公薨，肂九月不得葬，國乃分為二。」從這些史料印證，大致可以看出，東、西兩周的分裂，可能是趙、韓兩國利用周室的內亂造成的。

註八　見戰國策東、西周策。

一〇　商鞅變法強秦

自春秋時代以來，秦、晉兩國，兵爭不息。其爭奪焦點，多在「河西」（指今陝西省的沿黃河地區）一帶。入戰國之初的四十餘年，秦國公室變故頻仍，君臣乖亂（註一）。以致國勢不振，河西之地，落入了分晉後的魏國手中。

秦孝公（西元前三六一——三三八年）以二十一歲的壯年即位，深恥於偏處雍州一隅，被中原列國視為夷狄，不能參須諸侯的盟會。於是立志奮發圖強，一心要想恢復秦穆公時代的輝煌霸業。他除了「布惠，振（賑）孤寡，招戰士，明賞罰」之外，並下令國中「賓客群臣，有能出奇計强秦者，吾且尊官，與之分土。」這消息一傳出去，就有一個叫衛鞅的，自魏國前來應徵。

衛鞅原是衛國的庶孽公子。自少就好刑名之學，有奇才。初事魏相公叔痤為「中庶子」（註二）。公叔痤臨終前薦他於魏惠王前，惠王不能用。聞秦孝公求賢，遂西入秦。因孝公寵臣景監的推介，得見孝公。衛鞅初以「五帝」、「三王」之道說孝公，孝公答以「久遠不能待」。後來衛鞅改以霸道進言，大為孝公所悅納，「不自知膝之前於席，語數日不厭」。遂力排眾議（註三），用衛鞅為「左庶長」（註四），定變法之令。

戰國初期，先於秦國實行變法的，有李悝的佐魏文侯與吳起的佐楚悼王。李悝在魏，「盡地力之敎」以發展農業，增加生產；實施「平糴法」使「民無傷而農益勸」，「糴不貴而民不散」（註五）；又制定「法經」，嚴懲盜賊以維護治安（註六）。吳起相楚，則「明法審令」，「捐不急之官」，「廢公族疏遠者以撫養戰士」，「破馳說之言縱橫者」（註七）。李悝與吳起的變法措施，都產生了極大的功效，頗為衛鞅所借鏡。

衛鞅的變法政策，分作兩個階段進行。

第一期的改革始於秦孝公三年（西元前三五九年），終於孝公十二年（西元前三五〇年）。這一階段為期十年，其施政要點為：

㈠制定「連坐法」，以嚴刑馭民—衛鞅將民戶編為「什」（十家）、「伍」（五家）、相互擔保。同一「什」、「伍」的民戶，明知他人有罪行而不告發的，處腰斬的重刑；「

告姦」的可以得到與「斬敵首」同等的獎賞；「匿姦」的與降敵同罪。

㈡獎勵耕織，裁抑商賈—其辦法爲：1.「戮力本業耕織，致粟帛多者，復（免服力役）其身；事末利（指商賈）及怠而貧者，舉以爲收孥（收錄其妻、子爲官奴婢）」。2.「民有二男以上不分異者，倍其賦（註八）」。强制民戶壯男必須分居，以求有效運用農業勞力。3.鼓勵從事農耕的外來移民（註九）。

㈢獎軍功，禁私鬥—「有軍功者，各以率受上賞。爲私鬥者，各以輕重被刑」。

㈣抑制貴族—「宗室非有軍功，不得爲屬籍」（不得爲屬籍就是削除其爵秩）。「明尊卑爵秩等級，各以差次名田宅臣妾衣服。有功者顯榮，無功者雖富無所芬華」。

衛鞅爲了樹立命令的威信，在國都（雍）的南門前，設置一根三丈長的木柱，下令：誰將這木柱徙置到北門的，給與「十金」（註一〇）的獎賞。民衆初時沒有敢「應募」的，衛鞅再將賞金增加到「五十金」。終於有一個膽大漢子將它搬到了北門。衛鞅立刻如數給獎，以示不欺，並隨即頒行新法。

新法實施的頭一年，民衆到國都申訴新法不便的數以千計。同時，太子也犯了法令。衛鞅說：「居上位的若不能守法，法令如何能夠推行！」由於「嗣君」不可以加刑，就「刑（註一一）其傅公子虔，黥其師公孫賈」。於是秦人懾服，不敢逾越法度。行之十年以後，秦國不僅是到達了「道不拾遺，山無盜賊，家給人足」的安和境地，而且人民都「勇於公戰，怯於私鬥」，尚武精神，大爲提高。衛鞅以功升爲「大良造」（註一二）。

到了孝公十二年（西元前三五〇年），秦國自雍遷都於咸陽，開始第二期的改革：

㈠嚴禁父子兄弟「同室內息」——前已規定「民有二男不分居者倍其賦」。現在更進一步，强制父子兄弟必須分居。一則是革除西戎陋習，二則是有利於發展「小農」經濟。

㈡普遍推行縣制——合併諸小邑為縣，共增三十一縣（註一三）。置縣令、縣丞等官。

㈢廢井田，開阡陌——廢除原來「井田」的界限，並將周制的每畝百步擴大到每畝二百四十步。一「夫」仍授與百畝的耕作面積（註一四），以充分發揮勞動力，增加生產。

㈣統一度量衡制度——「平斗桶、權衡、丈尺」。

再推行了五年，「秦人富強，天子致胙（註一五）」。秦孝公二十二年（西元前三四〇年），秦國乘著魏國新敗於齊（註一六），元氣大傷的時候，派衛鞅領兵伐魏，襲破魏將公子卬之軍。魏只得割「河西」之地求和。並從安邑（今山西省安邑縣）徙都大梁（今河南省開封），以避秦國的侵逼（註一七）。

衛鞅破魏凱旋，秦孝公將「於商」十五邑（註一八）封給他，號為「商君」。因此歷史上又稱他為「商鞅」。

商鞅在秦，功業雖大，但執法「嚴刻寡恩」，得罪宗室貴戚眾多。有一個叫做趙良的賢士，勸他急流勇退，明哲保身，商君不能聽。

秦孝公薨，惠文王即位（西元前三三八年），商君的仇家公子虔等密告商君謀反，秦廷派遣吏卒逮捕商君。商君逃到魏國，魏國不敢收留，將他送返秦國。商君與他的「徒屬」徵發商邑的兵卒進攻鄭縣（今陝西省華縣）。惠文王發兵擊潰叛軍。商君東走澠池（河南省今縣），被秦兵擒殺。惠文王車裂他的屍體，並族滅其家。

商君的末路，雖蒙上叛逆的惡名，身死族滅，但他佐秦孝公變法，富國強兵，奠定了嬴秦統一中國的基礎。其豐功偉業，仍是值得後世推崇的。東漢的王充，說商鞅「爲秦開帝業」（註一九），確非過譽。

【註釋】

註一　秦自懷公以至出子（約當西元前四二八——三八四年之間）各君的廢立，都出於庶長鼂等權臣之手。懷公被迫自殺，出子被沈於河。

註二　庶子、中庶子、少庶子都是國君或卿大夫的家臣，其地位很低。

註三　當時朝中甘龍、杜摯等大臣都極力反對變法。

註四　秦爵第十二級。秦本紀言衛鞅爲左庶長在行新法三年之後，此從本傳。

註五　見漢書食貨志。

註六　見晉書刑法志。

註七　見本書第六篇。

註八　杜佑通典食貨四云：「夏之貢，殷之助，周之藉，皆因地而稅。秦則不然，舍地而稅人。地數未盈，其稅必備。」這是說：秦國以及秦代，除了田租之外，尚有以人丁爲課徵標的的賦稅。可能漢代的口賦，就是以此爲濫觴。

註　九　杜佑通典食貨門略云：商鞅誘三晉之民力耕於內，而使秦民力戰於外。

註一〇　大概是黃銅十鎰（每鎰二十兩）。

註一一　史記本傳中的「刑」字恐是「刖」之訛。

註一二　又名「大上造」，秦爵第十六級。

註一三　此依史記本傳。秦本紀作四十一縣，六國表作三十縣。

註一四　見杜佑通典州郡典雍州風俗條。

註一五　天子以祭肉賜給諸侯，與諸侯以祭肉給大夫是一種殊榮。

註一六　見本書第一一篇。

註一七　史家多有以爲三晉之遷都，是爲了爭取東方情勢的，其說應該可以成立。但魏都的東遷，未嘗不與避秦之鋒有關。

註一八　「於商」的地名，史記集解引徐廣曰：「弘農商縣也」。而索隱與正義卻以爲是「於」、「商」兩個縣名。正義更說「於」在「鄧州內鄉縣（河南省今縣）東」。但水經濁漳水注引竹書紀年云：「秦封衛鞅于鄔，改名爲商」。「於」古音烏，「於」即是「鄔」，乃是商縣的原名，當是改名後也連稱爲「於（鄔）商」，其實只是一地—今陝西省商洛鎭。「鄧州」內鄉的古「於國」故城，在今河南的西南部，戰國初年應屬楚國，秦國怎能拿來封給衛鞅？

註一九　語見論衡書解篇。

一一　齊魏馬陵之戰

魏武侯卒（西元前三七一年），子罃立，是爲惠王（註一）。趙成侯與韓懿侯趁惠王新立，情勢未穩（註二）之際，聯軍伐魏（西元前三七〇年），戰於濁澤（今河南省臨潁縣西北，一說爲山西省解縣西的涿澤）。魏軍大敗，惠王被圍。趙成侯主張殺惠王而立公中（子）緩，割地退兵。韓懿侯反對，謂不如並立惠王與公中緩，分魏爲兩，以弱其勢。此舉趙侯也不贊同。爭持不下，韓侯乘夜撤軍，趙軍勢孤，也只得退去。魏國因得保全。

明年（西元前三六九年），韓、趙又先後伐魏。魏國分別擊敗韓國於馬陵（今山東省范縣西南），擊敗趙國於懷（今河南省沁陽），挽轉了逆勢。此後數年，韓、趙未敢入侵。

魏惠王九年（西元前三六二年），魏自安邑（今山西省夏縣）徙都大梁（今河南省開封）（註三）。此後雖仍見侵於秦（註四）、齊（註五）、但連續擊敗韓、趙，並曾一度攻陷趙都邯鄲（事在惠王十八年，西元前三五三年）。惠王二十七年（西元前三四四年）（註六），惠王大會「十二諸侯」於逢澤（今河南省開封南），並率領諸侯朝周顯王於孟津（今河南省孟津縣南）。此時，魏國的聲威，可說已達巔峰狀態。

魏惠王二十八年（西元前三四三年）（註七），惠王以龐涓爲將，太子申爲「上將軍」，出兵伐韓。韓求救於齊。

這時候，齊威王勵精圖治，先後擊敗趙、魏，「泗上十二諸侯」（註八）都來朝，聲勢也很強大。齊威王用孫臏（註九）的計策，答應救援韓國而不即刻出兵。韓國恃有後援，五戰不勝，仍不屈服，使得魏軍進退維谷。然後齊威王遣田忌爲將，孫臏爲軍師，領軍進攻魏都大梁。魏將龐涓聞訊，急忙從韓撤軍回救大梁、孫臏用「減灶」的策略欺敵：入魏境後，首日在宿營地挖掘十萬個炊爨用的地灶，次日減爲五萬個，再次日減爲三萬個。龐涓領軍尾追，點計軍灶，見逐日減少，以爲齊軍大量逃亡。因而他將多數的步兵拋在後面，只率領輕騎兼程而進。行到以前魏軍擊敗韓軍的馬陵地方，已經日暮。馬陵道狹，兩旁都是山隘。魏軍中伏，「齊軍萬弩俱發，魏軍大亂相失」。龐涓自殺，魏太子申被擒（註一〇）。馬陵之戰的覆敗，是魏國由盛轉衰的重要關鍵。魏惠王三十年（西元前三四一年），秦、齊、趙三國又聯合攻魏。秦將商鞅，誘俘魏將公子卬，大破其軍。魏割「河西」之地百里於秦以求和，秦始罷兵。此後，魏仍不斷受秦、齊兩國交侵，國勢已開始走下坡了。

【註釋】

註一　魏惠王立後三十七年改元稱王（西元前三三四年）。說詳先秦諸子繫年考辨第九二。

註二　史記魏世家云：「初，武侯之卒也，子罃與公中（「中」當爲「子」之訛）緩爭爲太子……公孫頎謂韓懿侯曰：魏罃與公中緩爭爲太子……今魏罃得。王錯（魏大夫）挾上黨，固半國也。」可知在魏武侯晚年或歿後，魏國曾發生繼承權的爭鬥。惠王即位之初，支持公中緩的王錯尚據上黨不下。史記集解引徐廣曰：「汲冢紀年：惠王二年，魏大夫王錯出奔」。大致是魏惠王即位踰年後，王錯見大勢已去，只得棄上黨出奔。

註　三　同註一，史記魏世家誤記在惠王三十一年，是由於未知惠王稱王改元的緣故。

註　四　魏惠王十七年（西元前三五四年），秦攻魏取少梁。見史記六國表與魏世家。

註　五　惠王十八年，爲齊擊敗於桂陵。見六國表與魏世家。

註　六　年分從先秦諸子繫年考辨（第八四）說。

註　七　同註六。

註　八　大抵是魯、宋、邾等國之屬。

註　九　孫臏是春秋時名軍事家孫武之後。與龐涓同師學習兵法。及至龐涓爲將於魏，自以學不如孫臏，因將孫臏誘騙到魏國，斬斷他的雙足，並在他的臉上刺字。想使他廢棄不能用世。後來孫臏爲一個齊國的使臣將他偷載回國，齊威王用爲軍師。詳史記孫吳列傳。

註一〇　史記六國年表與魏、田齊世家都說魏太子申被「虜」。但戰國策（齊策五）云「殺」。孟子書中，魏惠王也有「長子死焉」之語。恐是死於被俘之後。

一二　諸侯先後稱王

早在周夷王（西元前八九四—八七九年）時，楚國的熊渠自恃「蠻夷不與中國之號謚」，不但自己稱王，而且分封他的三個兒子都爲王—長子康爲句亶王（封地在今湖北省江陵），中子紅爲鄂王（封地在今湖北省武昌），少子執疵爲越章王（封地未詳）。其後楚國畏周厲王（西元前八七八—八二八年）之威，自去王號。周室東遷之後，熊通於周桓王十六年（西元前七〇四年）再恢復王號，是爲楚武王。從此楚國世代稱王。

吳國稱王始於夢壽（西元前五八五年—五八四年），時當周簡王初立。越國稱王始於允常（註一），其時約當西元前五〇〇年頃。

除了楚、吳、越三個南蠻之國外，直到戰國初期，周天子雖衰微已甚，但其他諸侯，還沒有一個敢僭稱王號的。

戰國時代諸侯的稱王，始自魏惠王。魏惠王正式公開稱王，在周顯王三十五年（西元前三三四年）與齊威王會於徐州「相王」（註二）。但實際上他早在十年前（周顯王二十五年，西元前三四四年）「逢澤之會」的前後就已僭用「天子」的車服旌旗（註三）。徐州之會的「相王」，只不過是齊威王開始稱王，同時兩國交相承認而已。

齊、魏相王後六年（周顯王四十一年，西元前三二八年），宋偃王也稱王。但因此引起齊、楚的不滿而遭受攻擊，後來終於為齊國所滅亡（周赧王二十九年，西元前二八六年）。

周顯王四十四年（西元前三二五年）四月，秦惠王稱王，翌年改元。上距齊、魏相王已九年。

同（西元前三二五年）五月，韓威侯與魏惠王會於巫沙（今地未詳），韓威侯也得到魏國的支持而稱王，是為韓宣惠王。

周顯王四十六年（西元前三二三年），魏相公孫衍（犀首）發起「五國相王」，連那個國土包圍於齊、趙、燕三國之間的小國中山也稱了王。齊威王怒它以「千乘之國」，竟敢與「萬乘之國」並稱尊號；於是「閉關不通中山之使」，還想使燕、趙兩國出兵討伐，逼它取消稱王。後來經中山國的策士張登，遊說各方，利用諸國間的矛盾，終獲得燕、趙兩國的護持而保住了王號（註五）。

諸大國中獨有趙靈王自示謙抑，說：「無其實敢處其名乎！」雖然列國紛紛稱王，他卻仍然命臣民稱他為「君」。直到周赧王十六年（西元前二九九年）傳位給其子何（惠文王）後，又自稱「主父」。大致終武靈王之世，迄未稱王。他的王號可能是其子惠文王追尊的（註六）。

當時倖存的魯、衛、滕等小國，當然不敢妄冀王號。衛成侯更於周慎靚王元年（西元前三二〇年），自貶稱號為「君」。

【註釋】

註　一　史記越世家正義引輿地志云：「越侯傳國三十餘葉，歷殷至周。敬王時有越侯夫譚，子曰允常，拓土始大，稱王。」

註　二　史記魏世家誤以爲「與諸侯會徐州」的是魏襄王，並以爲惠王的王號是追尊的。事實上會徐州與齊「相王」的是惠王。惠王稱王後改元，又歷十六年而卒，前後在位共五十二年。此點自杜預左傳後序，裴駰史記集解以後，史家辨正的很多。詳先秦諸子繫年考辨第九二等篇。

註　三　戰國策秦策五云：「魏伐邯鄲，因退爲逢澤之遇。乘夏車，稱夏王。」齊策五云：「昔者魏王拔邯鄲，西圍定陽，又從十二諸侯以謀秦。衛鞅見魏王，勸以先行王服。魏王悅，故身廣公宮，制丹衣柱（旌？）建九斿，從七星之旟。此天子之位也，而魏王處之。」可見不但「會徐州相王」的是惠王，而且他早在「逢澤之會」的前後，就已僭王。

註　四　見先秦諸子繫年第九一、九九等篇。

註　五　見戰國策中山策。

一三　張儀為秦連橫

張儀，魏人。其初遊說諸侯，歷楚、趙各君，不能得志。後來西入秦國（周顯王四十年，西元前三二九年），秦惠王大加賞識，用爲客卿。翌年，張儀與公子華（註一）攻取魏國的蒲陽（故城在今山西省隰縣）。張儀再言於秦惠王，將蒲陽歸還給魏國，並送公子繇到魏國爲質子。然後他向魏惠王進說辭：「秦王之遇魏甚厚，魏不可以無禮。」這等於是明白向魏要求割地。魏國只得割讓「上郡」十五縣的地方（今陝西省黃河與洛河之間，自延安以南，韓城以北一帶的地方）與秦爲謝，張儀因功被任命爲秦相（註二）。

周顯王四十二年（西元前三二七年），秦又將以前所攻占的焦（今河南省陝縣南）與曲沃（此曲沃在今陝縣西南）（註三）兩邑歸還給魏國。但三年後（西元前三二四年），張儀又領兵攻占魏的陝邑（河南省今縣），並在上郡東境興築城塞。從此河西、上郡盡爲秦有。不但黃河天險入於秦手，而且西起咸陽，東至洛陽的交通要衝陝縣也爲秦所控制。關東諸國，就更無寧日了。

周顯王四十六年（西元前三二三年），秦惠王派張儀與齊、楚、魏三國（註四）的相會於齧桑（今江蘇省沛縣西南）。會後張儀轉往魏國爲相，企圖誘使魏國率先諸侯事秦、魏王不肯聽張儀的建議，秦惠王怒，再興兵伐取魏的曲沃、平周（今山西省介休縣西）兩地。

張儀留魏四年，周慎靚王二年（西元前三一九年），魏惠王死，子襄王即位，張儀又說魏襄王事秦。襄王不聽，卻用公孫衍（犀首）爲將，與趙、韓、楚、燕四國合縱共伐秦。伐秦之役，不勝罷兵。繼而齊又合宋敗魏於觀澤（今河北省清豐縣東），張儀再勸襄王伐楚而事秦，襄王乃背縱約而親秦。張儀也旋復歸爲秦相。

周赧王元年（西元前三一四年），魏國又背秦參加縱約。秦怒而擊魏，魏敗，只得再屈從於秦。

此時，齊、楚正縱親以與秦對抗。秦惠文王爲了破壞齊、楚之交，乃派張儀使楚。張儀至楚，以許獻「商於之地六百里」，「娶婦嫁女，長爲兄弟之國」爲誘餌，勸說楚懷王「閉關絕約於齊」。楚懷王貪得地而遽與齊絕交。結果不但激使齊國折節向秦，而張儀也食言而不承認許地六百里的事。楚懷王大怒，以屈匄爲將，發兵擊秦。秦、齊合兵攻楚，斬首八萬，殺楚將屈匄，楚國「列侯執珪」死者多達七十餘人。秦人並占領丹陽（註六）、漢中（註七）等地。楚國增兵再與秦大戰於藍田（今湖北省鍾祥縣西北），又告大敗。韓、魏復乘機聯軍襲楚，進攻到了鄧（今湖北省襄陽縣北）。時爲周赧王三年（西元前三一二年）。楚國接連遭受到這些打擊，狼狽已極。張儀乃又勸服楚國事秦。張儀更往韓國游說，韓襄王（西元前三一一——二九六年）也歸服了秦國。張儀歸報，秦惠王以五邑的地方封他爲「武信君」。接著，張儀再奉派分別前往游說齊、趙、燕等三國，也都達成了任務。

周赧王五年（西元前三一〇年），秦惠王死，子武王立。武王自爲太子時，就對張儀不滿。即位後，群臣讒張儀「無信，左右賣國以取容」。張儀被迫離秦赴魏，魏襄王再用以爲相。翌年，卒於魏。

張儀爲秦惠王所作的連橫運動（註八），其手段的詭詐反覆固不待言，但我們不得不承認其策略運用的成功。李斯有言：「（秦）惠王用張儀之計，拔三川之地，西並巴蜀，北收上郡，南取漢中。包九夷，制鄢郢。東據成皐之險，割膏腴之地。遂散六國之縱，使之西面事秦，功施至今（註九）」可見其對秦國的統一事業貢獻之大。

【註釋】

註一　此從史記張儀列傳。六國表作公子桑。

註二　秦之置「相」，當自張儀始。他的前任首輔公孫衍，仍只稱其爵「大良造」。

註三　史記魏世家引括地志云：「曲沃有城，在陝縣西南三十二里，今有曲沃店也。」

註四　此從魏世家。本傳只云齊、楚兩國。

註五　事在周愼靚王四年（西元前三一七年）。

註六　楚有兩丹陽：一爲周成王時，熊繹始封之地，在今湖北省秭歸縣東；另一爲楚文王（西元前六八九—六七七年）遷徙的都城，也叫丹陽，在今湖北省枝江縣西。此時秦人所占，當爲後者。

註七　楚屬的漢中，當爲今陝西省的東南部與湖北省西北角一帶的地方。

註八　很多史家以爲連橫是「連六國以事秦」，合縱是「合六國以抗秦」。其實這解釋並不完全正確。戰國末的韓非子說：「從（縱）者，合眾弱而攻一強也；衡（橫）者，事一強而攻眾弱也」。又說：「事大爲衡，救小爲從」。以當代的人，爲當代習用的名詞術語下定義，應該最可采信。

註九　見史記李斯列傳。

一四 燕王噲讓國之禍

燕王噲（西元前三二〇—三一二年）在位時，老邁不親政事，大權盡入其相子之手中。不但如此，王噲又聽信一個作鹿毛壽（註一）的建議，效帝堯以天下讓與許由的故事，將王位讓給子之，以博美名。於是王噲將王權完全交付給子之（西元前三一八年）。

接著又有人進言：古者大禹雖以王位與益，而朝中的官吏仍是其子啓的親信，以致禹死後啓與其親黨攻殺益，仍然奪回王位。現在燕國在表面上雖然禪位子之，而群吏無非太子的人，這無異於叫子之步益的後塵。王噲聽說，又將朝中俸祿在「三百石」以上的原有官吏，悉數免職，任由子之另委自已的親信充任。到此，子之已正式地南面爲王，王噲反退居於臣下的地位。子之「在位」三年，燕國大亂，百姓惶恐。太子平與將軍市被邀黨聚眾以攻子之。接連數月，不能獲勝。子之發動反攻，市被與太子平終於被殺。燕王噲也死於此次戰亂。

齊宣王原先向太子平表示支持其「飭君臣之義」，並說「唯太子之所以令之」。及至燕國亂起，齊宣王卻派將軍匡章率領「五都之兵，北地之眾」以伐燕。燕國人心渙散，「士卒不戰，城門不閉」。齊軍以五十天的短時間，就席捲全燕。（註二）。「齊人禽子之而醢其身」（註三）。齊宣王本有意久據燕國，但燕人不服，列國也出面干涉，齊國只得退軍。趙武靈王召爲質於韓的燕公子職，使將軍樂池護送返燕，立以爲王，是爲燕昭王（註四）。時爲周赧王四年，西元前三一一年。

【註釋】

註一　史記集解引徐廣曰：（壽）一作「厝」。索隱引春秋後語亦作「厝」。韓非子外儲說右下篇作「潘壽」。

註二　孟子梁惠王下篇，齊宣王云：「以萬乘之國伐萬乘之國，五旬而舉之。」

註三　見史記燕世家集解引汲冢紀年。

註四　見史記趙世家。六國表云：「君噲及太子、相子之皆死」。燕世家又云：「燕人共立太子平，是爲燕昭王」，兩處自相矛盾。實則太子平已死於攻子之之役，昭王應是公子職。楊寬戰國史（增訂本）頁一七五註一辨之甚明。

一五　秦併巴蜀

巴、蜀兩國，相傳原是高陽氏（黃帝之孫）的支庶。其地在「禹貢九州」中屬於梁州。禹會諸侯於會稽時，巴、蜀也在「執玉帛而朝」的「萬國」之列。周武王伐紂，巴、蜀之人出師從征（註一）。周王克殷之後，以其宗室封於巴爲「子」爵國。巴與蜀相鄰。戰國時巴國東接於楚，蜀國北接於秦。兩國僻處西陲，都不預於諸侯的盟會。

周室既衰，蜀國早即稱王（其稱王的確實年代已無可考）。到了戰國，諸侯相繼稱王，巴國也自僭王號。蜀王杜宇更進而稱帝——這就是所謂的「望帝」。後來望帝禪位於相開明。

自春秋時起，巴國與楚國之間交通已頻。兩國和戰，迭見於春秋經傳（註二）。戰國時巴曾與楚通婚，兩國邦交頗厚（註三）。

到了周顯王（西元前三六八—三二一年）時，楚國稍衰，秦惠王遂起謀巴、蜀之心。開始時他表面上與巴、蜀通好，更特別以黃金、美女蠱惑蜀王（註四）。

蜀王有弟名叫葭萌，封於漢中，號稱「苴侯」。苴侯頗與巴王結好，而巴、蜀素相仇，因而蜀王怒而討伐苴侯。苴侯奔往巴國，求救於秦。秦司馬錯與中尉田眞黃向惠王進言：「蜀國富饒，得其布帛金銀，足給軍用。水通於巴，有巴之勁卒，浮大舶舩（船）以東向楚，楚地可得。得蜀則得楚，楚亡則天下併矣。」惠王稱善，遂於後元九年（西元前三一六年）秋，遣大夫張儀、司馬錯、都尉墨等從「石牛道」（即劍閣道）伐蜀。蜀王敗走武陽（今四川彭山縣東十里），爲秦軍所殺。其傅、相、太子，也相繼敗死（註五）。蜀國的「開明」王朝，遂告覆亡。司馬錯等平蜀後，又於此年冬十月移師滅苴與巴。

秦惠王後元十年（西元前三一五年），秦王封公子通（註六）爲蜀侯，以陳壯爲相。同時置巴郡，以張若爲郡守（註七），又移本土民萬家以實之。

惠王後元十三年（西元前三一二年），分蜀國所屬的褒（中）、漢（中）之地（註八），別置為漢中郡。翌年，蜀相陳壯殺蜀侯通反。秦遣庶長甘茂、張儀、司馬錯等再伐蜀，誅陳壯（註九）。

秦武王三年（西元前三〇八年），封公子煇（註一〇）為蜀侯。秦昭襄王六年（西元前三〇一年），蜀侯煇以罪賜死（註一一）。旋秦王聞煇無罪冤死，復封其子綰為蜀侯。

昭襄王二十七年（西元前二八〇年），遣司馬錯自蜀攻拔楚國的黔中（今湖南省沅陵、常德、澧縣、永順一帶）。

昭襄王三十年（西元前二七七年），秦王又疑蜀侯謀反而加誅，於是廢侯國，置為蜀郡（註一二）。

【註釋】

註　一　周書牧誓篇中，從征的異族有庸、蜀、羌、髳、微、盧、彭、濮八國。僞孔安國傳云：「羌在西蜀，髳、微在巴蜀」。據此則此八國之中，半為巴、蜀之人。

註　二　如：魯桓九年，楚師及巴師圍鄾。莊十八年，巴伐楚，克之。文十六年，巴與秦、楚共滅庸。哀十八年，巴人伐楚，敗於鄾。

註　三　華陽國志卷一云：「巴國有亂，將軍有蔓子請師於楚……楚王救巴」。

註　四　華陽國志卷三云：「秦惠王以金一笥遺蜀王……蜀侯使朝秦。秦王數以美女進，蜀王感之，故朝焉。惠王知蜀王好色，許嫁五女於蜀」。

註　五　華陽國志卷三云：，「其傅、相、太子退至逢鄉，死於白鹿山。」逢鄉與白鹿山今地名不詳。

註　六　此從史記秦本紀。六國表作「公子繇通」，華陽國志作「子通國」。

註　七　華陽國志作「蜀國守」，疑爲「巴守」之誤。

註　八　今陝西褒城、南鄭一帶的地方。

註　九　此依華陽國志，史記六國表誅蜀相壯在秦武王元年（西元前三一〇年）。

註一〇　此從史記，華陽國志作「惲」。

註一一　史記秦本紀云：「蜀侯煇反，司馬錯定蜀」。華陽國志則云：蜀侯惲祭山川，獻饋於秦王。惲後母害其寵，加毒以進。命近臣試之，近臣即斃。秦王怒，遣司馬錯賜惲劍，使自裁。惲懼，夫婦自殺。其事與春秋晉獻公時驪姬之譖殺太子申生相似。

註一二　日本瀧川龜太郎史記會注考證與國人蒙文通「蜀史的問題」（載一九五九年四川大學學報第五期）文中，均以爲秦所封的三個蜀侯都是原蜀王子弟而非秦宗室。其說尚有待作進一步求證，茲不具論。

一六　燕國開拓東北

戰國時代，燕國的東北與東胡相鄰。東胡以在匈奴之東而得名（註一）。東胡最近邊的一支叫作「山戎」，又稱爲「北戎」（註二）。山戎早在春秋時就爲中國大害：周桓王十四年（魯桓公六年，西元前七〇六年），山戎越燕而伐齊。齊僖公求救於鄭。鄭太子忽帥師救齊，大敗戎師。「獲其二帥大良、少良，甲首三百」（註三）。周惠王十三年（魯莊公三十年，西元前六六四年），山戎侵燕，齊桓公伐山戎以救燕，獻捷於魯（註四）。自齊桓公撻伐以後，其害稍戢（註五）。

戰國時代，東胡的分布地區，大致北起今察哈爾南部之宣化、懷來等縣，熱河省南部之朝陽、承德等縣，遼寧省西南部之錦縣、綏中等縣，南至於今河北省北的遵化、薊縣、密雲與西北部的易縣一帶。

大致當燕昭王（西元前三一一年—二七九年）時，燕國有位將軍名叫秦開（註六），曾爲質於胡，甚得胡人信任，盡悉東胡虛實。歸國後領兵擊破東胡，東胡向北退走千餘里、燕國以所開拓的土地，設置了上谷、漁陽、右北平、遼西、遼東等五郡。並自造陽（今察哈爾省懷來縣）以至襄平（今遼寧省遼陽縣北），興築了一道長城以爲拒守。

【註釋】

註一　史記匈奴列傳索隱引服虔說。

註二　史記匈奴列傳索隱引服虔云：「山戎蓋今鮮卑」。又胡廣云：「鮮卑，東胡別種」。

註三　見左傳桓公六年。

註　四　見左傳僖公三十、三十一年。

註　五　依春秋經傳所記，襄公四年（西元前五七〇年），無終子請和諸戎（與中國結好）；昭公元年（西元前五四一年），晉中行穆子敗無終及群狄於太原。此後即未再書山戎—左傳正義引釋例土地名，以北戎、山戎、無終三名爲一。

註　六　偕荆軻往刺秦王的秦舞陽是秦開之孫，宋呂祖謙因推定其當爲燕昭王時人（見大事記解題卷四）。

一七　秦拔宜陽

韓國的宜陽（今河南省宜陽縣西約三十公里），是一個大縣。地當中原交通的要衝，形勢險要（註一），久爲秦國的主要攻占目標之一。

早在周安王十一年（韓烈侯九年，秦惠公九年，西元前三九一年），秦國就曾進攻宜陽，掠取了宜陽周邊的六邑地方（註二）。到了周顯王三十四年（韓昭侯二十四年，秦惠文王三年，西元前三三五年），秦國還曾一度攻拔宜陽城（註三）。但並未能久據，旋仍爲韓國所收復（註四）。

從此韓國在宜陽屯重兵，積糧儲，城守更固（註五）。

秦武王即位（西元前三一〇年）後，急欲攻取宜陽，以窺「三川」（註六）。他向「左丞相」甘茂說：「倘能如願，寡人死不朽矣。」

甘茂是下蔡（今安徽省鳳臺縣）人，在秦爲客卿。秦惠文王時，與司馬錯、張儀等一同平定巴、蜀（註七），建功甚偉。武王立，張儀失位，武王以甘茂與樗里疾（惠文王之弟）分任左、右丞相。

甘茂說：「要出兵伐韓，必須先與魏國取得默契。」武王因派他使魏，並以親信近臣向壽爲副使。

甘茂達成聯魏任務後返抵國境，秦武王親往息壤（今地不詳）迎接。甘茂對秦王說：「宜陽雖爲縣，其實等於是個郡。其地形勢險要，韓人在那裡儲積了大量物資，屯駐重兵。今日大王派我領軍行經千里的險阻，往攻難破的堅城，這不是一件容易的事情。從前張儀爲相，併巴蜀，開西河（指攻略魏地），取上庸（楚地）。天下的人不贊揚張儀而歸功於先王的賢明，能夠信任臣下。魏文侯命樂羊爲將以伐中山，力戰三年，攻滅了中山。樂羊得勝回朝後論功行賞。文侯拿出了一箱子「謗書」給樂羊看，樂羊才知道當他領兵在外作戰的三年中，竟有那麼多的人上書毀謗他。若不是魏文侯不爲所動，自己早就被逮治罪，還談甚麼建功？於是樂羊稽首再拜說：『這不是我的功勞，實在是主君之力！』今天我以一個羈旅之臣，領軍出征。朝中挾韓自重的樗里子、公孫衍（註八）等人，日日在大王跟前唱反調，我怎麼能安心？如今魏國雖已答應不干預此次軍事行動，我看還是不要發動攻韓的好。」秦武王說：「我對你發誓，讓你放手去做，絕對不聽他人的讒言。」於是以甘茂爲將，領兵進攻宜陽。

戰端既啓，魏國雖依約袖手旁觀，但韓相公仲侈率兵二十萬拒戰，楚國也派大將景翠領兵赴援。甘茂連攻五月不能下，而士卒死傷眾多。秦右丞相樗里疾與公孫衍果然在秦王前攻擊甘茂久戰無功。武王遣使召甘茂，意欲罷兵。甘茂不肯，說：「大王與我在息壤地方曾有成約。」武王不得已，只好一面大量增援，一面派馮章（註九）使楚，許以歸還漢中（註一〇）為條件，止其援韓。楚國的援軍果然觀望不進。甘茂激勵將士，出私財助賞，並向部屬宣稱，如城不下，將「以宜陽之郭為墓」。於是將士奮勵，一鼓攻下了宜陽城，斬敵首六萬級。韓襄王派公仲侈入秦謝罪請和。時為周赧王七年（西元前三〇八年）（註一一）。

【註釋】

註　一　呂祖謙大事記云：「今河南福昌縣（戰國時的宜陽），城東、南、北三面，峭絕天險。黽（澠）池、二殽，皆在境內，蓋控扼之地。」

註　二　見史記韓世家。

註　三　見史記六國表韓世家昭侯二十五年。楚大夫屈宜臼所說的「往年秦拔宜陽」就是指此。

註　四　宋王應麟通鑑答問說此年「拔而未取」，清梁玉繩史記志疑則謂「拔」字是「攻」字之誤。

註　五　戰國策東周策云：「宜陽城方八里，材士十萬，粟支數年。」

註　六　「三川」指河、洛、伊三水，是周畿之地。

註　七　見本書第一五篇。

註　八　此從戰國策，史記作公孫奭。

註　九　大概是游士說客之流。

註一〇　戰後秦王食言，未曾與地。

註一一　史記甘茂傳言，拔宜陽後「（秦）武王竟至周而卒於周」。秦本紀云，武王四年八月，與力士孟說「舉鼎絕臏（脛骨）而死」。綜觀之，則是秦武王在攻取宜陽後，即往周廷觀鼎（應該就是傳國的九鼎），並與力士舉鼎為戲，折斷脛骨而死。

一八　越亡於楚

春秋末年（西元前四七三年），越王勾踐滅吳，以兵渡淮，與齊、晉等諸侯會於徐州（齊地，即舒州，今山東省滕縣），致貢於周室。周元王使人賜勾踐胙，命為「伯」，諸侯也共尊為霸主。時為周元王四年，西元前四七二年。

勾踐死後，六傳而至王無彊（西元前？——三三四年）（註一）。王無彊好大喜功，屢興師伐齊，與中國爭雄。齊威王不堪其擾，因使人游說越王：言「越不伐楚，大不王，小不伯（霸）」。今楚國正聚軍以備秦、魏、齊、韓，力分易於攻取。越國只須「窺兵通無假之關」（註二），則楚國犨、龐（兩邑今地不詳）、長沙的米糧與竟陵澤（註三）的材木都可得而為用。齊國的使者更以「圖王不王，其敝可以伯」（圖王不成，猶足以稱霸）爲言。無彊被說得心動，遂釋齊而專事伐楚。楚威王怒而舉兵伐越，大敗越軍，殺無彊。盡奪其所兼併的吳國故地（註四），越國從此只賸下了錢塘江以南的濱海地區。諸族子爭立，散爲數部，都服朝於楚。

到了周赧王九年（西元前三〇六年），楚懷王利用諸越的內亂，盡取其江東的餘地，置爲郡縣（註五）。

【註釋】

註一　史記越世家所述的世次爲：勾踐—王鼫與—王不壽—王翁—王翳—王之侯—王無彊。

註二　史記越世家集解引徐廣曰：「無一作西」。正義云：「無假之關，當在江南長沙之西北」。

註三　史記白起列傳正義云：「（竟陵）故城在郢州長壽（今湖北省鍾祥縣）南百五十里」。

註四　依資治通鑑，事在周顯王三十五年（西元前三三四年）。吳國的故地，包含漢代的會稽、九江、丹陽、豫章、廬江、廣陵、臨淮等郡。大致是北至今江蘇江都，安徽盱眙，南臨錢塘江，東至今江蘇吳縣，西至今安徽合肥、盧江，西南至今江西南昌的廣大地區。

註五　史記楚世家昭睢說楚懷王有云：「王雖東取地於越，不足以刷恥。」甘茂列傳范蜎對楚懷王也云：「王前嘗用召滑於越。越國亂，故楚南塞厲門而郡江東。」（戰國策楚策一也有此，唯范蜎作范環）楚之滅越，呂祖謙大事記解題卷四推定在懷王二十三年（西元前三〇六年）。

一九　孟嘗君開封君養士之風

孟嘗君田文的父親田嬰，在齊威王時任職用事，受封於薛（今山東省滕縣南），號稱「靖郭君」。靖郭君有子四十人，田文是賤妾所生，初時不受重視。但他「通儻饒智略」，終於在眾多的兄弟之間，脫穎而出。他向其父建議散財養士，以收名望。田嬰依了他的話，並命他主持接待賓客的事務。從此，靖郭君門下的賓客日盛，田文的聲譽也日高，眾人都要求靖郭君立田文爲「嗣」。靖郭君死，田文果得以繼承封君的爵位，號爲孟嘗君（註一），並爲齊相。孟嘗君在薛，更廣招四方遊士與有罪亡人，食客多達數千，以此孟嘗君名重天下。

周赧王十六年（西元前二九九年），秦昭王聞孟嘗君之賢，以涇陽君（昭王之同母弟）爲質，請孟嘗君入秦。孟嘗君抵秦之初，秦用以爲相，未久有人對秦王說：「孟嘗君是齊國的公族，今用爲相，一定會先齊而後秦，秦國豈不堪危！」秦王於是改以趙人樓緩爲相。並囚禁孟嘗君，將要殺掉他。孟嘗君使人求解於昭王的某寵姬。寵姬要求「狐白裘」（註二）爲酬，方允相救。孟嘗君僅有的一件狐白裘，早已獻給了秦王。幸好孟嘗君的門客中，有一個長於爲「狗盜」的，潛入秦宮的庫藏之中，偷出了這件名裘，獻給那位寵姬。寵姬向昭王求情，孟嘗君終於獲釋。

孟嘗君急變造「封傳」（註三），乘機東逃。秦王果然旋即後悔，派兵追捕。函谷關是當時東西交通管制最嚴密的關隘。每天日暮閉關，雞鳴開啓。孟嘗君一行奔抵關前時正當夜半，眼見得追兵快到，卻又虧得門客中有善於模倣雞鳴的，假雞一鳴而四處的眞雞啼聲盡起。關吏聞聲啓關，孟嘗君等方得脫身。

孟嘗君回到臨淄，齊湣王仍以爲相。於是齊國聯合了韓、魏兩國，大舉伐秦，攻入了函谷關。秦國只得求和，歸還了韓國的「河外」（黃河以西）及武遂（今山西省臨汾西南）；歸還了魏國的河外與封陵（註四）。事在西元前二九八與二九七年。

齊湣王七年（西元前二九四年），發生了田甲劫齊湣王的事件（註五），湣王懷疑孟嘗君同謀，孟嘗君出奔。後來眞象得以澄淸，孟嘗君是無辜的，因又被召回。但孟嘗君仍謝病「歸老」於薛。

齊湣王滅宋（事在湣王十年，西元前二八六年），益爲驕蹇，視孟嘗君如眼中釘，想找機會除掉他，於是孟嘗君奔魏。

齊湣王敗亡，襄王繼立（註七）之後，孟嘗君歸薛，「中立於諸侯，無所屬」。襄王以國破之餘，畏孟嘗君的威望，與之連和。此時，「薛公」儼然成爲了一個獨立的諸侯。孟嘗君死後，諸子爭立，發生內亂，薛爲齊、魏所共滅。

戰國末期，效孟嘗君而「爭下士招賓客，以相傾奪，輔國持權」（註八）的封君，有趙國的平原君趙勝，魏國的信陵君魏無忌，楚國的春申君黃歇等，而以秦國的呂不韋爲之殿。

【註釋】

註　一　史記本傳索隱云：「孟，字；嘗，邑名。嘗邑在薛之旁。」田文之嗣爲薛公，大致在威、宣二王之際。資治通鑑記在周顯王四十八年（西元前三二一年）。

註　二　狐白裘是緝狐腋部白色皮毛製成，異常名貴。所謂「千金之裘，非一狐之腋」，就是指此。

註　三　「封傳」，後代稱驛券，是馳驛傳郵的通行證。

註　四　史記索隱引竹書紀年作「封谷」。史記正義云：「封陵在蒲州（今山西省蒲縣）」。

註　五　經過情形已無可考。

註　六　史記本傳云：「魏昭王以爲相，西合於秦、趙與燕，共伐破齊。」案：孟嘗君奔魏確有之，以爲相則妄。齊之破，與田文無關。辨見史記志疑卷三十。

註　七　見本書二六、二七兩篇。

註　八　史記呂不韋傳中語。

二〇　楚懷王被誘死於秦

周顯王四十一年（西元前三二八年），楚威王死，子熊槐立，是爲懷王。同年，秦始設「相邦」（註一），以魏人張儀爲首任相邦。從此，楚懷王的噩運，就由張儀一手造成。

楚懷王在位的前期，曾遣「柱國」昭陽擊敗魏國，攻破襄陵（今河南省睢縣西），取得八邑（事在西元前三二三年）。五國（三晉、楚、燕）合縱攻秦之役（事在西元前三一八年），楚懷王爲「縱長」，此一時期，楚勢甚强。

由於楚與齊的「縱親」，阻撓了秦國的東進，秦惠王因派張儀赴楚，許懷王以「商於之地六百里」（註二），叫他與齊國絕交。懷王貪於得地，一方面致書與齊王絕交，措辭極爲侮慢；另一方面派了一員將軍隨張儀赴秦接收土地。齊王得書，一怒反過來與秦合盟。而張儀返國後詭說所許土地只有六里，並不承認有割地六百里的事。楚懷王氣不過，興兵伐秦，秦也發兵迎敵，雙方大戰於丹陽（今河南省丹水之北的地方），秦軍大獲全勝，斬甲士八萬，俘虜楚大將軍屈匄，裨將軍逢侯丑等以下七十餘人，並占領了楚的漢中郡。懷王大怒，更徵發全國的兵力，再深入擊秦，戰於藍田（故城在今陝西省藍田縣西），又未能獲勝。而韓、魏兩國，乘機南下襲楚，兵至鄧邑（今河南省鄧縣），楚軍只得引退（事在懷王十七年，西元前三一二年）。翌年，秦國遣使與楚媾和，答應分漢中之半還給楚國。楚懷王說：「願得張儀，不願得地。」秦王知道楚王欲得張儀而甘心，但張儀毅然請行。張儀既抵楚國，懷王不與他見面，並將他囚禁起來，準備處死。張儀素與懷王的近臣靳尙相善，而靳尙又在懷王的寵姬鄭袖跟前很吃得開。靳尙一方面向懷王進言：「殺張儀必致惹怒秦王。楚國一旦與秦決裂，勢將爲列國所輕。」他另一方面又對鄭袖說：「秦王聽說君王將殺張儀，準備割上庸（今湖北省竹山縣東南一帶）六縣與楚，並以美人、歌女多人贈與君王以贖回張儀。秦女一來，你所受的恩寵就要動搖了。不如趕快要求君王釋放張儀，方可無憂。」鄭袖深以爲然，於是代向懷王求情。懷王釋放張儀出獄，並特別加以善待。張儀又逞三寸不爛之舌，說動懷王叛縱約而與秦連橫，約爲婚姻。議定後懷王仍讓他返秦復命。

到了楚懷王二十三年（西元前三〇六年），秦國已歷武王而至昭王。張儀則已在秦武王時自秦入魏，死在魏國。此時，秦國的丞相爲樗里疾（秦惠王之弟），權勢很重。楚國迄仍與秦保持聯盟。齊湣王想做「縱長」，因致書懷王（註三），勸其「并力收韓、魏、燕、趙，與爲從而尊周室，以案兵息民」。懷王意動，乃「不合秦而合齊以善韓」。翌年，復背齊而合秦，秦「迎婦於楚」（註四）。又明年，懷王入秦，與秦昭王盟於黃棘（今河南省新野縣東北），秦歸還前所取楚的上庸之地。

楚懷王二十六年（西元前三〇三年），齊、韓、魏三國以楚負縱約，聯軍伐楚。楚使太子入質於秦以求救，秦遣客卿通將兵救楚，三國退兵。

楚懷王二十七年（西元前三〇二年），爲質於秦的楚太子因私隙殺秦大夫後逃歸。翌年，秦與齊、韓、魏共伐楚，殺楚將唐昧。二十九年，秦復攻楚，殺楚將景缺，楚軍死者二萬餘人。懷王再使太子爲質於齊，以求得齊國的支援。三十年（西元前二九九年），秦又伐楚，取八城。

此時，楚懷王狼狽已極。秦昭王又致書懷王，約在武關（註五）會晤，聲言願議和結盟，合攻韓、魏。楚懷王得書後，想去又深恐見欺，待要不去又恐惹怒秦王。廷臣屈原、昭睢（

註六）等極力主張不要前往而發兵自守。懷王的少子子蘭卻以爲不可「絕秦歡」。楚懷王終於前往赴會。秦人事先在武關內伏兵，懷王一入關就被挾持前往咸陽，在章臺宮朝謁秦王，卑屈有如藩臣。秦王更要求割讓巫（郡治在今四川省巫山縣東）、黔中（郡治在今湖南省沅陵縣西）兩郡，懷王不肯，秦國就扣留懷王不放。

楚國的大臣們經過了一番商討，爲了對抗秦國的要挾，乃接回爲質於齊的太子橫立爲王，是爲頃襄王（註七）。頃襄王二年（西元前二九七年），楚懷王自秦逃出，由間道走趙，趙不敢納。懷王想轉往魏國，不及，被秦兵追返。憂憤發病，翌年，死於秦，秦國歸其喪於楚。

【註釋】

註　一　漢避高祖諱，始改稱「相國」。

註　二　此處的「商於之地」在今河南省內鄉縣西，非衛鞅所受封的「於商」。（見本書第十篇註十八）。

註　三　依史記楚世家，齊湣王致書楚王在懷王二十年。此從資治通鑑與呂祖謙大事記。

註　四　此從史記六國表，楚世家作「楚往秦迎婦」。

註　五　在今陝西省商縣東九十公里，爲戰國時秦國的南關。

註　六　史記楚世家只云昭睢，屈原列傳只云屈原。

註　七　此依史記楚世家。戰國策齊策三有「楚王死，太子在齊質」之語，則頃襄王又似並非原來爲質於齊的太子。

二一　趙武靈王的變胡服與其餓死沙丘

趙氏滅代（註一）之後，其北境與東胡，林胡，樓煩等北族爲鄰。尤以與林胡（今山西省懷仁、左雲、右玉等縣以北，綏遠省大青山以南之地）、樓煩（今山西省寧武、岢嵐、保德等縣以北，以至綏遠省的東南部）接壤最廣。這些異族，都是游牧部落，掠奪成性，而且行動飄忽。趙國的邊邑，不堪其擾。

趙武靈王親政（註二）以後，銳意强兵，保邊拓土，他深以傳統的衺、裳、韋服（註三），不便操作，車戰也缺乏機動性。都已不合時代的需要。於是決定推行「胡服騎射」的改革運動。採用胡族的服裝，短衣束帶。同時廢除車戰而精練騎馬射箭的戰鬥技術。當時趙國的宗室趙文、趙造、趙俊、公子成與廷臣周紹（註四）等，都認爲「變胡服」是「變古之教，易古之道，逆人之心，畔學者，離中國」的作法，極力反對。獨有元老肥義深爲贊同。他說：「論至德者不和於俗，成大功者不謀於衆」，勸武靈王「無顧天下之議」。公子成在輩分上是武靈王的叔父，在朝中頗具影響力。爲了要他起點帶頭作用，武靈王派近臣王孫緤前往說服他，但不成功。於是武靈王親自到公子成家中，百般曉喻，公子成終於「再拜稽首」聽命。接著，武靈王在周赧王八年（西元前三〇七年）出「胡服令」。全國不論文武，一概易服。朝中的大臣如公子成與王子之傅周紹等，都賜以「胡服衣冠，黃金師比」（註六）。

武靈王於攻下北邊的原陽（今綏遠省薩拉齊縣）後，將其地設置爲「騎邑」，作爲訓練「騎射」的基地（註七）。趙國的冀北地區，本來民性剽悍，又兼盛產良馬。從此趙國建立起一支精銳的騎兵，在七雄中，除了秦國之外，沒有能與他比强的。趙國因得以兼併中山，驅走林胡、樓煩兩部族，逼其北遷。武靈王將開拓的邊地，設置了雲中（原林胡之地）、雁門（原樓煩之地）兩郡。

武靈王初以長子章爲太子。後得寵姬吳娃，生少子何，因改以少子何爲王儲。武靈王二十七年（西元前二九九年），武靈王傳位於少子何，是爲惠文王。以肥義爲相國，兼爲傅，輔新王治理國政。武靈王自稱「主父」，專致力於軍事，向西北攻略胡地。並企圖自雲中、九原（今綏遠省五原縣）一帶向南侵襲秦國。

武靈王立少子何爲王後，封其長子章於代，稱安陽君（事在西元前二九六年）。又見公子章以長子反「北面爲臣，詘於其弟」，心有不忍。曾經打算將他升格「代王」，與弟分治趙國，計未定而告輟。

趙惠文王四年（西元前二九五年），「主父」與惠文王偕遊「沙丘異宮」（註八）。公子章與其相田不禮乘機作亂，謀誘殺惠文王未遂，老臣肥義作了替死鬼。公子成與朝臣李兌起「四邑之兵」勤王，殺公子章、田不禮，盡誅其黨徒，平定了叛亂。

公子章兵敗後，曾奔投沙丘宮以託庇於主父。公子成、李兌因以兵圍住沙丘宮，搜求公子章。公子章既死，成、兌等恐解兵後會以危逼主父的罪名而遭受族誅，乃繼續圍困主父，斷其飲食，長達三月之久。主父終於餓死沙丘宮中。

「主父」既死，惠文王年少不能親政，由公子成與李兌當權。公子成受封爲「安平君」，李兌受封爲「奉陽君」。李兌柄政時期頗長。周赧王二十八年（西元前二八七年）的五國合縱攻秦之役，就是出於李兌與蘇秦的謀畫與策動（註九）。

【註釋】

註　一　趙氏滅代，略見於本書第一篇注九。

註　二　武靈王初即位時，年少未能親政。見史記趙世家。

註　三　周禮春官司服云：「凡兵事韋弁服」。鄭玄注云：「韋弁，以韋革爲弁（一種武冠），又以爲衣裳」。

註　四　此從史記趙世家。戰國策（趙策二）作「周紹」。

註　五　此從戰國策（趙策二）。史記趙世家作「王緤」。

註　六　「師比」又作「犀比」、「犀毗」、「胥紕」，是胡服帶鉤的名稱。

註　七　見戰國策（趙策二）。

註　八　商紂所建的離宮，其地在今河北省平鄉縣。

註　九　詳楊寬戰國史（增訂版）第八章第四節「蘇秦李兌合縱五國攻秦」。

二二 趙滅中山

戰國時的中山國，包於齊、燕、趙三國之間。魏文侯既滅中山（西元前四三〇年），以其地封與少子摯（註一）。從此世代相傳，成爲魏國的屬國。

趙國對此極不甘心，趙敬侯（西元前三八六—三七五年）時，曾經兩度出兵進攻魏屬中山。敬侯十年（西元前三七七年），與中山戰於房子（又作防子，故城在今河北省高邑縣西南）。翌年又伐中山，戰於中人（今河北省唐縣西北）。趙成侯六年（西元前三六九年），中山築長城以爲防禦，趙國只得暫時按下爭奪中山的念頭。

武靈王時又開始積極攻略中山。武靈王十九年（西元前三〇七年），「北略中山之地，至於房子」。二十年，「王略中山地，至寧葭（今地不詳）」。二十一年，武靈王親率趙招、許鈞、公子章、牛翦、趙希等，分兵三路，合胡、代之兵，攻取中山的丹丘（今河北省曲陽縣西北）、華陽（即恆陽，今河北省曲陽縣）、鴟之塞（註二）、鄗（今河北省柏鄉縣北）、石邑（河北省獲鹿縣東南）、封龍（獲鹿縣南）、東垣（今河北省正定縣南）等地。「中山獻四邑請和，王許之，罷兵。」二十三年與二十五年，趙又兩度伐中山。二十七年（西元前二九九年），武靈王傳位於惠文王，自稱「主父」。他讓惠文王治國，自已專致力於軍事，攻略中山與胡地。惠文王三年（西元前二九六年），遂滅中山，遷其王於膚施（今陝西省綏德縣東南）（註三）。

中山原恃魏、齊兩國爲援（註四）。蓋魏與中山原是兄弟之國。魏惠王時且曾以中山君爲相（註五），其關係之密切自不待言。而齊國則想保全中山以作爲它與趙國之間的緩衝，因此也沒有圖中山之心。在西元前三、四世紀之交，秦、楚、齊、魏、韓諸國，相攻不絕，無暇他顧（註六）。而趙國卻未曾捲入這些戰爭，因得以從容併滅中山。

【註釋】

註一　詳本書第四篇。

註二　史記正義引徐廣曰：「鴟一作鴻」。晉書地道記有所謂「鴻上關」，其故址在今河北省唐縣西北鴻城村。

註三　此依史記趙世家。秦本紀云：「趙破中山，其君亡竟死齊」（當是「亡出境，死於齊」的意思）。六國表又云：「（趙）與齊、燕共滅中山」。案：齊、燕實未曾助趙滅中山，辨詳史記志疑卷九。

註四　戰國策魏策四云：「中山恃齊、魏以輕趙。齊、魏伐楚，而趙滅中山」。

註五　見史記魏世家惠王二十八年。

註六　周赧王十二年（西元前三〇三年）秦攻韓、魏。同年，齊、魏、韓攻楚，秦救楚。十三年，秦攻韓。十四年，齊、魏、韓攻楚，殺楚將唐昧。十五年，秦攻楚，殺楚將景缺。十六年，楚懷王被誘入秦而死。十七年，秦攻楚，取十餘城。同年至十九年，齊、韓、魏連續攻秦，至於函谷關。均見史記六國表、秦本紀與各世家。

二三　司城子罕的篡宋與宋王偃的亡國

周武王克殷之後，封紂的庶兄微子啓於宋以奉先祀。春秋時宋襄公圖霸不成，爲楚所敗，受傷而死。進入戰國後，其國都已遷於彭城（註一）。宋桓侯（公）辟兵（註二）（西元前三七二—三七〇年），優柔「失刑」，大權落入宗室司城子罕（一作剔成肝）手中（註三），終被他篡奪了王位（註四）。司城子罕就是所謂剔成君（西元前三六九—三二九年）。剔成君在位四十一年死，其弟君偃繼立（註五）。君偃十一年稱王，「滅滕，伐薛，取淮北之地（註六）」，號稱「五千乘之勁宋（註七）」。但這些强盛的假象，反而促成了宋國的覆亡（註八）。齊、楚兩國對宋國都早有野心（註九）。尤其是齊國，更爲處心積慮以謀宋。只因爲秦、楚兩超强所牽制，一時不能如願。

到了周赧王二十九年（西元前二八六年），宋國發生內亂（註一〇）。同時，楚國方受秦國的威脅，自顧不暇（註一一）。而趙國當權的奉陽君李兌，正「堅三晉以攻秦」。牽制住了秦國。齊湣王因私下許李兌，克宋以後，以宋的「陰」（疑當爲濟陰）爲其封邑，叫他不要干涉（註一二）。遂舉兵滅宋。宋王偃出亡，死於魏國的溫邑（河南省今縣）（註一三）。

【註釋】

註一　宋始封於商丘（今河南省商邱縣）。魯莊公十年（西元前六八四年）遷於宿（今安徽省宿縣）。遷彭城（今江蘇省銅山縣）大致在春秋末年，確實年代已無可考。

註二　史記宋世家作「辟公辟兵」，謚與名同，顯有誤。索隱引竹書紀年作「桓公璧兵」。又莊子書中，也稱爲「桓侯」。應該是謚「桓」。

註三　韓非子二柄篇云：「子罕謂宋君曰：『夫慶賞賜予者，民之所喜也，君自行之。殺戮刑罰者，民之所惡也，臣請當之。』於是君失刑而子罕用之，故宋君見劫。」

註四　史記宋世家云：「辟公卒，子剔成立」蓋誤。索隱引竹書紀年云：「宋剔成肝廢其君而自立」。韓非子說疑、二柄、人主、外儲說右下、忠孝等篇，也屢言司城子罕奪取君位的事。詳見楊寬戰國史第四章第三節。但楊著以司城子罕的篡宋與田氏篡齊同視爲易「姓」，則有未當。司城子罕的「戴」氏，系出宋戴公（西元前七九九—七六六年）之後，仍屬宋的公族。子罕不過以旁支篡奪君位而已，與齊國的以田（陳）易姜，固有所不同。

註五　史記宋世家云，偃攻剔成，剔成奔齊，偃自立爲君。但依年數推算，君偃當係幼年即位，不可能逐兄自立。說詳先秦諸子繫年考辨第六九。

註六　見戰國策。史記宋世家說王偃「東敗齊，取五城。南敗楚，取地三百里。西敗魏軍。乃與齊。魏爲敵」。但六國表與齊、楚世家都不見有宋敗齊、楚取地的記述。只田齊世家有「與宋攻魏，敗之觀澤」之語。戰國策宋策所說的「取淮北之地」，則與史記宋世家所說的「取（楚）地三百里」，應指同一事。

註七　見戰國策燕策一。

註八　史記宋世家所述，王偃「盛血以韋囊，懸而射之，命曰射天。淫於酒、婦人，群臣諫者　射之。於是諸侯皆曰桀宋」。又蘇秦列傳云，「秦以宋委齊，曰：宋王無道，爲木人以寫寡人，射其面」。此等有關宋王偃的荒淫暴行爲的記述，均不足深信。詳古史辨第二冊七九顧頡剛「宋王偃的紹述先德」一文。

註九　呂氏春秋愼勢篇云：「（楚）莊王圍宋九月，康王圍宋五月，聲王圍宋十月。楚三圍宋矣，而不能亡。」

註一〇　戰國策趙策四奉陽君李兌云：「宋置太子以爲王，下親其上而守堅……今太子走，諸善太子者皆有死心。若復攻之，其國必亂。而太子在外，此亦舉宋之時也。」則此時宋國內部必有權力鬥爭發生。疑是桓侯辟兵之子謀奪回君位的事件，但已無可考。

註一一　楚懷王死於秦，頃襄王與秦絕交。周赧王二十二年（西元前二九三年），秦大敗韓、魏於伊闕，致書楚王約戰。頃襄王恐，謀與秦復交。直到周赧王三十年（西元前二八五年），秦、楚在宛「好會」，結和親，楚國所受的威脅，才得以暫時解除。見史記楚世家。

註一二　見戰國策趙策四。

註一三　見史記秦本紀、六國表、魏與田齊世家。宋世家云：「齊湣王與魏、楚伐宋，殺王偃，遂滅宋，三分其地。」所説「殺王偃」固有誤。「三分其地」也未可信。説詳史記志疑卷二十。

二四　蘇秦為燕行間於齊

蘇秦是東周雒陽乘軒里人。兄弟五人—代、厲、辟、鵠、秦（註一）—蘇秦最少。他從師於齊，習縱橫之術。學成後出游數載，求不得一官半職，困頓而歸。受到父母的責怪，妻、嫂的冷落，羞愧無地自容。遍翻所有藏書，找到了一部「太公陰符之謀（註二）」，伏案苦讀，揣摩經年，自認其術已足以游說當世之君。於是西行赴秦，以連横之說向秦惠王獻言，謂「欲并天下，凌萬乘，詘敵國，制海內，子元元，臣諸侯，非兵不可」。其時惠王繼位未久，方以謀逆的罪名誅戮商鞅，對於游士深具戒心。因而託辭「羽毛未豐，不可以高蜚」，摒不見用。蘇秦再東至趙國，說趙肅侯，也未得售。

燕昭王即位後，以前此國遭喪亂（註三），爲了圖强雪恥，不惜卑身厚幣，以招賢者。於是蘇秦自周赴燕。

他爲燕昭王建立的第一件功勞是往說齊宣王歸還了因燕喪所攻奪的十城。後來燕國送質子（大約是昭王之弟）於齊，蘇秦爲使。蘇秦即留齊爲客卿。此時正當齊宣王歿，湣王繼立之初，齊國的大政由孟嘗君田文掌權。蘇秦在齊，頗受善待，尤與孟嘗君相得。

齊湣王七年（西元前二九四年），湣王懷疑孟嘗君將爲亂，孟嘗君奔回其封邑薛，湣王親自執政。蘇秦也返燕國。燕昭王與齊國有「深怨積怒」，欲報大仇，而苦於力弱不敵。有人向昭王建議，派遣間諜赴齊，孤立齊國，並使齊國因窮兵而困頓，然後乘其敝而一舉攻覆它（註四）。昭王稱善，並且說：「先人嘗有德於蘇氏（註五），燕欲報仇於齊，非蘇氏莫可。」於是「奉蘇子（秦）車五十乘，南使於齊（註六）」。這時是燕昭王二十年，齊湣王九年（西元前二九二年）。

蘇秦到了齊國之後，不負燕昭王所託。他不但獲得了齊湣王的信任，也受到重用。繼而孟嘗君在一度恢復相位後，再被迫去齊，奔往魏國。孟嘗君在魏，聯合秦、趙以謀齊。趙國的大將韓徐為主張合魏國攻齊，而為相的奉陽君李兌卻一意親齊以圖自齊國獲得封地（註七）。蘇秦與齊相韓量（亦作韓珉，又作韓聶）相結，破壞了齊、趙之交（註八）。又為了避免激怒於秦、楚而暫時中止攻宋。

後來，親秦的齊相韓量去而之楚，周最自魏國來齊為相，改持反秦的政策。他派人前往游說趙國，不要與齊國作對。秦國見趙國遲遲不發兵攻齊，乃轉而攻趙。周赧王二十七年（西元前二八八年）初，秦國攻取趙國的梗陽（今山西省清源縣）。趙國恐，開始進行聯合諸侯以對抗秦國，齊國當然是最主要的爭取對象。奉陽君本來不甚喜蘇秦，此時為了要借助於他，才不得不與它結交。

秦國於周赧王二十七年十月，派穰侯魏冉到齊國「致帝」，相約秦稱「西帝」，齊稱「東帝」。

蘇秦勸齊湣王不要稱帝，以拉攏各國反秦，齊國就可以乘機攻滅宋國。於是齊湣王取消了帝號，參加反秦的陣容。

五國（齊、燕、趙、魏、韓）合縱攻秦的大舉，終於在趙國的李兌與齊國的蘇秦等的策動下實現。周赧王二十七年十二月，齊國首先出兵，燕國同時出兵助齊。魏、韓、趙也接著出兵會師。但終因五國各有打算，心力不齊，聯軍在滎陽（今河南省滎陽縣東北）、成皐（今滎陽縣西北）一帶逗留不進。另一方面秦國也知難而退，只稱尊兩個月就取消了帝號，並歸還了趙、魏兩國一部分侵土。

齊國爲了使吞併宋國的計畫不致受阻，始終未曾放棄過聯秦的念頭。而燕、趙、魏三國之深忌齊國，自不在話下。周赧王二十九年（西元前二八六年），齊湣王利用宋國的內亂，一舉攻滅了宋國。宋王偃（康王）走死於魏國的溫邑（註九）齊國在伐宋的同時，派了蘇秦入秦游說，得到秦昭王的「諒解」，未加干涉。

齊國滅宋，除兼併了宋國的本土外，還獲得了宋國以前自楚國所取得的淮北之地。國土大爲擴張，聲勢也更盛，不僅三晉受到更大的威脅，秦、楚兩國也深爲不快。於是各國陰謀合縱伐齊。周赧王三十年（西元前二八五年），秦昭王與楚頃襄王會於宛（今河南省南陽縣）；同年，又與趙惠文王會於中陽（山西省今縣）。都與商討伐齊有關。隨後，秦將蒙武攻取齊國九城。翌（西元前二八四年）年，秦昭王又分別與魏昭王會於西周（今河南省洛陽城西），與韓釐王會於新城（今山西省聞喜縣西），燕昭王也入趙與趙惠文王相會。到此，五國（秦、趙、韓、魏、燕）合縱的陣線乃告完成。於是，燕將樂毅率領五國之師攻齊（註一〇）。因而，蘇秦為燕作反間的陰謀完全暴露，被齊湣王處以「車裂」之刑。其死大致就在周赧王三十一年（西元前二八四年）。

蘇秦雖然是個翻雲覆雨的舌辯之士，但自奉命使齊（西元前二九二年），以至被戮於齊（西元前二八四年？），在這將近十年的長期間，卻始終效忠於燕昭王。雖身在齊、趙，仍時常以書信向燕王獻策略，進忠言（註一一），最後竟以身殉。故昔人有「蘇秦以百誕成一誠（註一二）」，「燕之興也，蘇秦在齊（註一三）」等的評語。

【註譯】

註一　見史記本傳索隱引譙周古史。

註二　漢書藝文志道家有太公二百三十七篇（謀八十一篇，言七十一篇，兵八十五篇）當即其書。

註三　見本書第一四篇。

註四　「客謂燕（昭）王曰……王何不陰出使，散游士，頓齊兵，弊其眾，使世世無患？」見戰國策燕策第二。

註五　蘇秦之兄蘇代、蘇厲都曾仕燕。蘇代並與王噲時的相子之為婚（史遷在燕世家中，誤以為與子之為婚的是蘇秦）。所謂「有德於蘇氏」當指此。

註六　見戰國策燕策第一。

註七　見本書第二三篇。

註　八　見帛書戰國策第八章。
註　九　見本書第二三篇。
註一〇　見本書第二六篇。
註一一　多見於今本戰國策燕策與帛書戰國策中。
註一二　語出淮南子說林篇。
註一三　見近年出土的「銀雀山竹簡孫子兵法」。其語當出自戰國末以至漢初的人。

二五　楚將莊蹻入滇為王

楚頃襄王（西元前二九八—二六三年）時，楚將莊蹻（註一）奉命南征。他領兵通過黔中郡，泝沅水而南，攻略西南。連克且蘭（今貴州省平越縣一帶）、夜郎（今貴州省桐梓縣一帶），進入滇池（今雲南省昆明、呈貢、晉寧、昆陽等市、縣之間）地區。「（池）旁平地肥饒數千里」。莊蹻即以兵威戡定其地屬楚。正要歸報楚王，而楚國的巫郡、黔中再度被秦國攻占（註二），莊蹻歸路斷絕，遂留在滇池爲王。從此，雲南與中原地區在文化、經濟各方面的聯繫不斷加强。

到了漢武帝元封二年（西元前一〇九年），漢遣郭昌伐滇，滇王降，置爲益州郡。

【註釋】

註一 戰國時楚將莊蹻之入王於滇是件大事。但史、漢兩書的記述都極簡略，其他可供參考的史料也少。莊蹻入滇的時間，史記西南夷列傳云在楚威王（西元前三三九—三二九年）時，漢書從之。杜佑通典（邊防三）與馬端臨文獻通考（南蠻二）均已辨其誤，當以後漢書西南夷列傳（後漢書中莊蹻作「莊豪」）所述在頃襄王時爲正。說詳史記志疑卷三十四。

商君書弱民篇、荀子議兵篇、韓非子諭老篇、呂氏春秋異用篇、介立篇、韓詩外傳四等都提到楚國大盜莊蹻。韓非子謂在楚莊王（西元前六一三—五九一年）時，高誘註呂覽則云在楚成王（西元前六七一—六二六年）時。都早在春秋時代。因此宋王應麟認爲楚盜莊蹻與楚將莊蹻是同名的兩個人（見困學紀聞卷十二）。但清梁玉繩不信其說。案：楚頃襄王時的莊蹻，先爲大盜，其後受招撫爲楚將，也有可能。但無確證，只得存疑。

註二 史記楚世家頃襄王二十二年云：「秦復拔我巫、黔中郡」。

二六 樂毅破齊

樂毅的祖先樂羊，於魏文侯時以攻取中山國的功勞封於靈壽（中山的重要都邑。河北省今縣），其子孫遂世居靈壽。有個名叫樂池的，曾任魏屬中山的國相（註一）。趙武靈王滅魏屬中山後，有樂氏裔孫樂毅賢而知兵，事武靈王為臣。其後武靈王被弒，乃去而適魏，為魏昭王出使於燕。其時，燕昭王屈身下士以招賢者。樂毅至，昭王倍加優禮。樂毅感激，遂委質為臣。燕昭王授以「亞卿」的官位。

燕國在春秋時代，原服屬於齊。入戰國後方預於諸侯的盟會。燕王噲讓國之亂，齊宣王乘機攻破燕國（註二）。燕昭王既立，抱「燕齊不兩立」的復仇之志，聯趙謀齊（註三）。齊湣王時滅宋，「南割楚之淮北，西侵三晉，欲以并周室，為天子。泗上諸侯，鄒魯之君皆稱臣。諸侯恐懼。」（註四）由於齊湣王的氣燄過盛，招致諸侯的嫉恨，於是五國合縱伐齊之局成。（註五）

周赧王三十一年（西元前二八四年），燕昭王盡發全國之兵，以樂毅為「上將軍」，趙惠文王更授以相國印，於是樂毅以聯軍統帥的身分，率領燕、趙、秦、魏、韓五國之師攻齊。齊國遣向子（註六）領兵迎戰。五國之師大敗齊師於濟西（大致在今山東省東阿、東平、聊城、穀陽、壽張等縣之間的地區），向子「單車」逃遁。齊將達子收集餘卒再戰，因湣王吝不給賞犒軍，又告潰敗。

樂毅以秦、韓兩國距齊較遠，繼續作戰的意願不高，因讓兩國的軍隊先罷還。然後分遣魏軍攻略故宋（大致是今河南省商丘縣以東，江蘇省銅山縣以西一帶）的地方；趙軍攻略河間（大致是今河北省獻縣、阜城、武強等縣一帶）；自己率領本部的燕軍，長驅而東。齊人大亂失度，軍無鬥志，齊湣王出走。樂毅領軍攻入臨淄，盡取其寶物、祭器，送回燕國。燕王親到濟上勞軍行賞，封樂毅爲「昌國（地在今山東省淄川縣東）君」。

齊湣王逃到衛國，初時衛君尚「稱臣供具」，因湣王驕蹇不遜，爲衛人所不滿，繼又逃往鄒、魯，鄒、魯之君不納，只得再返回齊國，暫駐莒邑（山東省今縣）。此時，楚國派淖齒領兵救齊，淖齒因留莒爲齊相。淖齒有野心，想與燕國共分齊地，因而擒住湣王，數落他的罪狀，然後將他殺害。

燕軍乘勝長驅，齊國各城，望風而降。樂毅整飭軍紀，嚴禁侵暴，並寬減齊民的賦稅，除其苛政。又尋求齊國的逸民賢士，加以尊禮榮顯。一時齊人大悅。

樂毅在占領臨淄之後，再分兵四路：「左軍渡膠東、東萊（今山東省平度、萊陽一帶）」，深入山東半島東端；「前軍循泰山以東至海，略琅玡（郡治在今山東省諸城）」——這兩路繼續攻略未下的齊地。「右軍循河、濟，屯阿（今山東省東阿縣）鄄（今山東省濮陽縣東）以連魏師」；「後軍旁北海以撫千乘（郡治在今山東省高苑縣）」——這兩路撫馴已攻占的齊地。「中軍據臨淄而鎮齊都」——總指揮部設在齊都臨淄，樂毅駐此節制調度（註七）。半年之間，下齊七十餘城，只賸下即墨與莒（今山東省今縣）兩城未服。

到了周赧王三十六年（西元前二七九年），燕昭王死，惠王立，惠王在爲太子時，就已對樂毅不滿。齊將田單知道這情形，就施反間計，揚言：「樂毅與燕王有隙，表面上以伐齊爲名，其實想擁兵自爲齊王。目前由於齊人尚未親附，因而故意緩攻即墨與莒以待時機。齊人怕的是燕國另遣他將前來，二城就破在旦夕了。」燕惠王既早已懷疑樂毅，如今更信齊人放出的謠言爲眞。於是改派騎劫爲將，而召樂毅回燕。樂毅恐遭誅戮，只得逃往趙國。趙王對他頗爲尊敬，封他爲「望諸（澤名，其地在齊）君」。

騎劫本非將材。更兼由是燕國將士憤惋不平，軍心解體，戰局也就開始逆轉了。

【註釋】

註一　見韓非子內儲說上篇。

註二　見本書第一四篇。

註三　見戰國策燕策二。

註四　見史記田齊世家。

註五　見本書第一四篇。

註六　此從戰國策齊策六。呂氏春秋權勳篇作「觸子」。

註七　以上引文出資治通鑑卷四。

二七　田單復國

田單是齊國的遠支宗室，湣王時充任臨淄的「市掾」（註一）。燕軍破臨淄，湣王出奔。

田單領著他的宗族逃往安平（今山東省臨淄縣東）。繼而燕軍又陷安平。齊人爭門而出，輪轂互相撞擊，很多人因車壞無法及時逃離而遭燕軍俘虜。獨田單在事先教族人在車軸頭上加裝鐵罩保護，因而得以安全逃出安平城，奔到即墨。

這時，齊地七十餘城，幾乎已盡被燕軍佔領，只剩即墨與莒兩城未被攻下。即墨大夫出戰而死，城中人見田單「多智習兵」，因此公推他爲將以守城拒燕，樂毅攻此兩邑經年不克，因各在離城九里處築壘圍城。並且下令：「齊人出城的不要加以逮捕，有困苦的更要與以賑濟。」想以懷柔的手段使齊人出降。不料又過了三年，兩城依然堅守如故。於是有人向燕昭王進讒言，說：「樂毅之所以留下二城不攻，是想仗兵威懾服齊人，南面而王。只因他的妻、子在燕，所以暫時隱忍陰謀。齊國多的是美女，現在他快要連妻、子都拋棄不顧了。」燕王爲了表示對樂毅的堅信不疑，於是將進讒的人處斬，並分別以王后、公子的服飾賜給樂毅的妻、子。又派遣相國前往齊國，立樂毅爲「齊王」。樂毅惶恐不受，上書以死自誓。從此齊人與諸侯，都更加敬服他的忠義，中傷他的謠言也就平息了。

未久，燕昭王卒（西元前二七九年），子惠王繼位。田單暗地派人到燕國去行反間，再以樂毅即將自立爲齊王的危言聳動燕惠王。惠王信以爲眞，另派了一個叫作騎劫的去代替樂毅。騎劫到了軍中，改採嚴酷的手段。他將捕獲的齊卒一律處以劓刑置於城下，以恐嚇齊人：又挖掘齊人葬在城郊的墳墓，焚燒屍骨。齊人從城上望見，悲憤萬分，急想出城決一死戰。田單「身操版鍤，與士卒分功，妻妾編於行伍間，盡散飲食饗士」，因此極得軍民的擁戴。

田單令精壯的甲卒藏匿起來，盡使老弱婦孺登城守望。他又蒐集城中的黃金，共得一千鎰，命城中的富豪拿去獻給燕將，說城裡馬上就要投降了，要求燕將保全他的家族，不要擄掠。燕將大喜，滿口答應。從此燕軍以爲城降只在旦夕之間，軍心更爲懈怠。

田單在城中收集到一千多頭牛，披上赤色的「繒衣」，上面畫五彩龍文，在牛角綁著兵刃，尾端纏上浸飽上油脂的葦草。先在城牆上鑿開數十個大洞，點燃牛尾的葦草，將牛群從城洞縱放出去，並派五千壯士隨後衝出。火牛受驚，向燕軍狂奔，被觸到的燕軍，非死即傷。城中老弱敲擊銅器，聲動天地。燕軍大駭敗走，騎劫被殺。齊兵追奔逐北，大獲全勝。所過都邑，都相繼反正，復爲齊有。

田單收集齊國的散卒，所部兵力日增，士氣也日盛。相對地燕軍則節節敗退。齊國喪失的七十餘城，很快地就全部收復。

湣王被殺後，其子法章變姓名逃往莒邑，在太史嬓（太史是氏，嬓名）的家中爲傭。田單尋到了法章，迎入臨淄立爲王，是爲齊襄王。田單以功受封爲「安平君」，並爲齊相。（註二）

【註釋】

註一　「市掾」是司市之官的屬吏。

註　二　戰國策趙策四云：「燕……攻趙，趙王割濟東三城……以與齊，而以求安平君而將之……得三城也」。又史記趙世家云：「趙孝成王元年……田單將趙師而攻燕中陽，拔之。又攻韓注人，拔之……二年……田單爲相」。蓋田單後來曾以客卿的身分出任趙國的將、相。

二八　藺相如兩折強秦

趙惠文王得到了楚國的「和氏璧」。秦昭王知道了，致書於趙王，願以十五個城邑交換這個寶璧。趙王與諸大臣商議：倘若以璧與秦，只恐得不到城邑，徒受欺騙。若是不給，又恐秦國舉兵相攻。一時拿不定主意。但無論如何，總得遣使回報。而這個可以奉使赴秦的人選，也很難物色。「宦者令」繆賢向趙王推薦他門下的「舍人」藺相如，爲人智勇兼備，可以充當此任。惠文王召見相如，問他可否以璧與秦。相如回答說：「秦强而趙弱，不可不與。」趙王表示最擔心的是秦王拿到了璧而賴帳不給土地。又問相如誰可以充當使者。相如回答：「大王若是沒有其他的人可以派遣，臣願持璧出使。秦國若將城邑交割給趙國，我就將璧留在秦國。倘若得不到城邑，臣就盡力使完璧歸趙。」於是趙王遣藺相如齎璧西行。

藺相如到達咸陽，秦昭王在章臺宮接見。相如捧璧面交秦王。秦王一見大喜，將這件稀世之寶傳示左右近臣以及後宮的后、妃、美人，左右都高呼萬歲。相如見秦王一直都沒有提起拿城邑交換的話，因而走向前說：「這璧雖好，但仍有微瑕，待我指點給大王看。」秦王將璧交還給相如，相如雙手捧璧，退立到庭柱前，怒髮直上衝冠，對秦王說：「大王派人送信到趙國時，趙國的君臣會商，都料到秦國將恃強霸占和氏璧而不償給城池。臣以爲平常布衣之交，尚不以空言欺人，況是堂堂的大國之君。因此趙王齋戒五天，然後派臣齎璧前來，可說是敬愼之至了。今日大王召見受璧，倨傲簡慢，而且傳示後宮妃嬪，這分明是存心戲弄。看來大王是無意拿城邑來交換了。因此臣再取回原璧。大王若加逼迫，臣誓將頭顱與璧一同撞碎在殿柱上。」說完，捧璧睨視庭柱，擺出要撞擊的架勢。秦王只恐璧壞，急忙止住相如，並命掌管圖籍的吏人按圖指出答應的十五城給相如看。相如料到這仍是秦王的詭詐，因奏道：「和氏璧是天下聞名的至寶。我王在齎送之前先齋戒了五日，現在大王也得齋戒五日，然後舉行「九賓」（註一）的盛大朝會，臣才敢獻璧。」秦王見無法相強，只得答應，並且招待他在一所名叫「廣成」的高級傳舍裡住下。相如料到秦王雖然口裡答應齋戒後受璧，恐終將負約不給土地。因命他的從人，身穿短褐，喬裝成一個小民，將和氏璧藏在懷裡，從間道潛逃回國。

秦王如言齋戒五日之後，大舉朝會，準備受璧。相如前往朝堂，對秦王說：「秦國自穆公以來經歷二十多位君主，從來沒有堅守信約的。臣深恐得不到交換的土地，無法回國復命，已經派人持璧送回趙國去了。臣自知難逃相欺之罪，甘受鼎鑊之刑。」秦王與群臣初則驚視，繼而大怒。左右要將相如押下去處死。秦王制止了，說：「今天就是殺了藺相如，也得不到璧，徒然破壞了兩國的邦交。不如寬恕他，放他回國。」於是秦國仍然以禮相待，發送他返趙。

藺相如回國後，趙王以他完成了這件艱險的使命，極為讚賞，拜他為「上大夫」。此後秦國既未曾以城邑與趙，趙國也未曾以璧與秦。這樁交涉就此不了了之。

周赧王三十四年（西元前二八一年），秦國攻拔趙國的石城（今河南省林縣西南）。翌年，又伐趙，殺二萬餘人。秦昭王遣使告知趙王，願意停戰言和，約在西河外的澠池（秦地，河南省今縣）會盟。趙惠文王畏懼秦國，不敢前往。廉頗與藺相如都認為不去是表示怯弱，反而不妥。趙王只得偕藺相如等一同赴會。廉頗送到邊境，告別時對趙王說：「大王此行，旅途往返與會盟之禮，需時當不超過三十日，倘過了三十日還不見返國，請立太子為王，以對付秦國的要挾。」趙王同意了這一步做法。

趙王一行到了澠池與秦王會盟（周赧王三十六年，西元前二七九年）。宴會中，秦王乘著酒酣說：「聽說趙王愛好音樂，請奏瑟助興。」趙王只得依言彈奏一曲。奏完，秦國的御史當場記錄：「某年月日，秦王與趙王會飲，令趙王鼓瑟。」藺相如上前說：「趙王也聽說秦王長於音樂，請秦王擊缶（註三）以相娛。」秦王怒而不許。於是藺相如捧著瓦缶，向秦王跪請，秦王仍拒不答應。相如憤然說：「五步之內，相如將以頸血濺大王了！」秦王的左右上前要以兵刃相加，卻被相如怒目叱退了。秦王無奈，只得敲擊了一通瓦缶。相如也召隨行的趙國御史記下：「某年月日，秦王為趙王擊缶。」秦國的群臣又起鬨說：「請以趙城十五爲秦王壽！」藺相如也針鋒相對地說：「請以秦之咸陽爲趙王壽！」這次聚會，秦國始終沒有占到上風。同時趙國又有軍隊隨行作後備，秦國也不敢動武。

趙王等返國後，藺相如以大功拜爲上卿，位在將軍廉頗之上。廉頗生氣說：「我有攻城野戰的大功。出身微賤的藺相如，不過憑著口舌之勞，竟位在我之上。那一天遇到他一定要羞辱他一番。」藺相如聽說，就盡量避開他。朝會時常稱病不參加，以免與廉頗爭列。偶而在路上望見廉頗，相如總是叫御者改道而行，以免相遇。相如的舍人都很不服氣。相如向他們開導說：「以秦王的威勢，我尚敢在大庭廣眾之間加以斥責，並且怒叱他的臣下，何獨有畏於廉將軍！只是我想到秦國之所以不敢加兵於趙國，主要的只因有我兩人在。今日兩虎相鬥，勢不俱生。我如此退讓，不過是爲國家大局著想罷了。」這番話給廉頗知道了，深悔自己氣量偏狹。立刻「肉袒負荊」，前往藺相如的門庭請罪。於是兩人前嫌盡釋，訂爲「刎頸之交」。

【註釋】

註一　「九賓」本來是周王之禮，「天子臨軒，九服同會」。戰國時諸侯既僭稱王，也僭用此禮。

註二　完璧歸趙的事件，史不載其年月。

註三　瓦缶本供盛酒漿之用，古時也用作敲擊樂器。宴會中易於就地取材。

二九　范睢相秦

魏人范睢，在魏昭王（西元前二九五—二七七年）時隨大夫須賈出使齊國。齊襄王賞識范睢的口才，賜他黃金十斤和牛（肉）、酒，范睢辭不敢受。須賈知道了，懷疑他將魏國的機密洩漏與齊國，因而有此厚贈。但仍命他接受牛、酒而退還黃金。回國後，須賈將這件事向魏相魏齊報告。魏齊大怒，命人將范睢毒加鞭笞，「折脅摺齒」。范睢裝死，被用葦蓆包捲，放置在廁所中。諸賓客酒醉後更在他身上溲溺來侮辱他。范睢暗許監守的人重謝，方得脫身逃出。後來魏齊疑他未死，派人搜求，又賴魏人鄭安平的掩護而未被查獲。於是變更姓名為「張祿」，隱藏不出。

後來秦國的「謁者」王稽，銜命使齊。鄭安平屈身為小卒，為王稽服役，乘機向王稽保薦張祿的賢能。范睢在夜間偕鄭安平往見王稽，晤談之下，極受王稽的讚賞。王稽返國時，潛載范睢，同車入秦。王稽返抵咸陽覆命，因向秦昭王說：「魏國有個傑出的辯士，名叫張祿。他說秦國現勢堪危，並自言有能力可以安秦。臣已將他載來。」秦王並未十分在意，雖仍予以安頓，但相待很薄。

這時（西元前二七一年），秦昭王即位已經三十六年，政權仍掌握在其母宣太后與穰侯魏冉（宣太后的「異父」弟）的手中（註一）。

范雎既被閑置，乃上書自陳，請求秦王接見。並說：「一語無效，請伏斧質」。於是昭王在雍邑的一所離宮裡召見范雎。范雎首先指昭王「上畏太后之嚴，下惑於姦臣之態」，「終身迷惑，無與昭姦」。長此以往，恐難免於招致「大者宗廟覆滅，小者身以孤危」的禍患。這一番說辭，使得昭王動容，虛心向他求教。范雎發現左右有竊聽的，先不敢談到王室的內部問題，只好權且說外事。他極言穰侯越韓、魏而攻齊國的失策。他特別強調「遠交近攻」的戰略原則。主張以魏、韓兩國為主要攻擊目標。昭王深以為然，遂拜「張祿」為客卿，謀畫軍事。

於是范雎使「五大夫」（註一）綰伐魏，拔懷（今河南省沁陽縣），旋又攻取邢邱（今河南省沁陽縣東南）。數年之間，范雎在秦昭王跟前，已是言聽計從，親密無間。乃又向昭王進言：宣太后「擅行不顧」，穰侯「出使不報」，華陽君（宣太后同父弟）、涇陽君（昭王同母弟）「擊斷無諱（註二）」，高陵君（昭王同母弟）「進退不請」。這「四貴」都足以危害國家，應該罷黜。昭王深以為然，於是免除了宣太后的政權，收回穰侯的相印。命穰侯、華陽君、涇陽君、高陵君四人出就封邑。另一方面拜范雎為相，封於應（今河南省寶豐縣西南），號稱應侯。時為秦昭王四十一年（西元前二六六年）。

范雎在秦，一直用化名「張祿」。魏人不知道，以為范雎已死。魏國聽說秦國將大舉攻伐魏、韓，大起恐慌，特別派須賈出使於秦，想謀緩解。范雎身穿破衣，微行到客館去見須賈。須賈見他仍在人間，大吃一驚。范睢詭稱在秦替人幫傭。此時須賈見他潦倒落魄到了這種地步，卻也動了哀憐之心。留他吃了頓飯，又見他衣衫襤褸單薄，還送給他一件「綈袍」。第二天須賈前往相府謁見秦相，才知道范睢就是這位今日威震諸侯的秦相「張祿」。驚懼之餘，唯有肉袒膝行請罪。范睢言於秦王，遣歸須賈。須賈前往相府辭行的那天，范睢大開盛筵款待各國使臣。卻叫須賈坐在堂下，在他面前放著一些「莝豆」（馬飼料）令兩個黥徒夾在他的兩旁，像餵馬一樣的將莝豆往他嘴裡塞。末了，要他帶信給魏王，速將魏齊的頭獻來，否則就要興兵屠魏都大梁。須賈狼狽返國，將情形告知魏齊，魏齊大恐，逃往趙國，藏匿在平原君府中。秦昭王知道了，佯邀平原君赴秦訪問，然後挾平原君爲人質，要求交出魏齊。趙孝王只得發兵圍住平原君家搜求。魏齊乘夜奔投趙相虞卿家。虞卿是魏齊的故交，爲了全交，竟拋下相印偕同魏齊逃回大梁，想藉魏人之助轉往楚國。但魏人畏秦國報復，無人敢伸出援手，魏齊走投無路，憤而自刎。趙王取其頭獻與秦國，算是結束了一場風波。

周赧王五十一年（西元前二六四年），秦國攻拔韓國濱汾水的陘城（又稱陘庭，故城在今山西省翼城縣西南）。接著又伐取了南陽（在太行山的南麓），切斷了韓國上黨郡與其國都新鄭地區的交通線。周赧王五十五年（西元前二六〇年），應侯縱反間計欺趙，使趙王以馬服子趙奢之子趙括代廉頗爲將，秦軍大破趙軍於長平（註三）。到此，范睢在秦國的功勳與氣勢，已是如日中天。

范睢既貴，有仇必復，有恩必報。昔日救助他來秦國的鄭安平與王稽二人，都由於他向秦王保薦而受到重用。王稽拜爲河東守，「三年不上計」（註四）。鄭安平則任爲將軍。

周赧王五十八年（西元前二五七年），將軍鄭安平奉命伐趙，兵敗被圍，率所部二萬人降趙。後二年（西元前二五五年），河東守王稽又以「私通諸侯」大罪被誅。兩人的官職都是出於范雎的保舉。依秦法薦舉的人應當連坐，受族誅的重刑。秦昭王雖不忍加罪於范雎，而范雎已惶恐不可終日。此時，燕人蔡澤來秦，勸范雎急流勇退，保全身名。范雎只得謝病歸還相印，並推薦蔡澤自代（註五）。

蔡澤任秦相只有數月就罷職。居秦十餘年，雖受封爲「綱成君」，卻始終沒有甚麼建樹。

【註釋】

註一　秦昭王是武王之弟。武王無子，死後諸弟爭立。昭王之得以繼位，頗賴魏冉之力。

註二　日人瀧川龜太郎史記會注考證云：「擊斷，謂刑人；無諱，言不避王」。

註三　見本書第三二篇。

註四　「上計」是地方長官（郡守、縣令）年終向朝廷報告施政成績與解繳租賦的一種制度。

註五　史記范雎列傳未言其死。西元一九七五年出土的「雲夢秦簡」有「昭王五十二年，王稽、張祿死」一則。這項記載倘若無誤，則「張祿」可能也不是善終。

三〇　趙奢大破秦軍

趙奢是趙國的遠支宗室，充當「田部吏」。他行事不避權貴。平原君家拒不交納田租。趙奢逮捕了九個平原君家管事的家臣，以抗納王租的罪名處死。平原君大怒，要誅戮趙奢。趙奢理直氣壯的指陳：平原君是趙國的貴公子，倘若縱容家人不守國法，則國法的權力無形中會削弱，隨之國勢也將削弱，招致諸侯交侵。雖是王族貴戚，怎能保得住富貴？反過來說，以貴戚之尊而能奉公守法，則全國上下都將會心悅誠服，和衷共濟，國家必强。身為貴族的，豈有為天下所輕之理？平原君聽了這番話，怒氣全消，並且極為賞識他的賢良正直。於是向趙惠文王推薦，任命他管理全國的賦稅。趙奢任職以後，國賦平允，人民殷富而府庫充盈。

趙奢除了長於理財之外，又善治兵，嫻於韜略。周赧王四十六年（西元前二六九年），秦國派「中更（註一）」胡傷伐韓，並通過上黨攻趙國的閼與（故城在今山西省和順縣西北）。趙王召大將廉頗與樂乘問：「閼與可救否？」兩人都說：「道遠險狹，難救。」趙王再問趙奢，趙奢回答：「在險狹的地形中作戰，如同兩鼠在洞中相鬥，勇敢的就能獲勝。」於是趙王就派趙奢領兵往救。

趙奢率軍出邯鄲只行三十里就停止不前。並且下令軍中：「敢以軍事進諫的處斬！」

秦軍聞知趙國自邯鄲派出援軍，就分兵南下迎敵。進兵到武安（今河南省武安縣西）之西，鼓譟勒兵，聲震武安城的屋瓦。趙軍的斥堠有進言應急救武安的，趙奢立刻依軍令將他斬首。趙奢屯兵十八日不進，並且增築壁壘。秦軍間諜潛入趙壘被捕，趙奢反贈與飲食後放回。這間諜國到秦軍，向秦將報告。秦將大喜說：「趙軍開出三十里後就停滯不敢前進，反增壘自守。像這樣的怯戰，如何救得了閼與。」趙奢放回秦軍間諜後，立刻下令全軍「卷甲而趨」，一日夜的急行軍就抵達距閼與五十里的地方，並布好營壘。秦軍見趙軍驟到，悉數前來迎敵。趙軍一名叫作許歷的軍士，向趙奢建議：「秦軍勢盛，將軍須布置密集陣形以待，才可以不爲所敗。」趙奢深以爲然，「厚集其陣」，阻住了秦軍攻勢。許歷自以干犯軍令，「請就鈇質之誅」。趙奢說：「且待後令！」將要決戰的時候，許歷又獻言，應搶先占據北山，控制有利地形。於是趙奢立刻派了一萬人趨占北山。秦軍後到，仰攻爭奪山頭。趙奢縱兵衝擊，秦軍大敗潰走，閼與之圍，遂告解除。

此役趙奢以功受封爲「馬服君」，勳位與廉頗、藺相如兩人同等。那個參贊趙奢運用戰術，因而獲勝的軍士許歷，也被擢升爲「國尉」。

【註釋】

註一　秦爵第十三級。

三一　虞卿棄相全交

虞卿原是個游說之士。他「躡蹻擔簦（註一）」，來到趙國，說趙孝成王。一見就賜「黃金百鎰，白璧一雙」，再見就拜為上卿，三見就授以相印，人稱為「虞卿」（註二）。

范睢既為秦相，誓報魏齊之仇（註三），要魏王取魏齊的頭來獻，否則就興兵屠大梁。魏齊逃往趙國，藏匿在平原君家中。秦昭王知道了，致書平原君說，想與平原君為「布衣之交」，邀請他赴秦「為十日之飲」。平原君畏秦，不敢不往赴約。他一到秦國，秦王就要挾他交出魏齊，否則就不放他返趙。平原君不肯賣友，堅不承認魏齊在他家裡，秦王又遺書趙王說：「你若不趕快送魏齊的頭來，我就不放回平原君，而且馬上舉兵伐趙。」趙孝成王大為惶恐，只得發兵圍住平原君的宅第，搜求魏齊。魏齊乘夜逃出，往見虞卿求救，虞卿與魏齊的交誼極為深厚，不忍見死不救，但又料到這件事決難以向趙王進言。於是自己解除相印，偕同魏齊再逃往魏國，打算求得魏人的援助，轉往楚國。但魏人多畏懼秦人，不敢伸出援手。魏齊無路可走，逼得自刎而死。虞卿也困居大梁，窮愁以歿。

虞卿博學多文，他「上採春秋，下觀近世」，著有「虞氏春秋」十五篇（註四），「虞氏微傳」兩篇，著錄在漢書藝文志，惜都已失傳。（註五）

【註釋】

註一　「蹻」是草鞋；「簦」是一種帶長柄的笠。

註二　史記集解引譙周云，「食邑於虞」，此恐有誤。觀其所著書名「虞氏春秋」與「虞氏微傳」，則「虞」應該是姓氏無疑。只是史失其名而已。

註三　見本書第二九篇。

註四　此從漢書藝文志。史記本傳作八篇。

註五　史記本傳，於開端先敘虞卿爲趙孝成王就「長平之戰」與「魏請爲從」等事件畫策。末段方說到他以魏齊之故，棄相印，困於大梁以歿。但長平之戰，事在周赧王五十五年（西元前二六〇年）。魏齊之死，早在赧王五十年（西元前二六五年）。史記所述，在時間上殊相矛盾。不過戰國策中言及虞卿的，有三章都與長平之戰有關（「秦攻趙於長平」、「秦攻趙，戰於長平」、「秦攻趙，平原君使人求救於趙」等，均見於趙策三）。宋蘇轍古史謂「魏齊死，卿自梁還相趙，而太史公失不言」，應該是依據戰國策爲言。照這樣說，則「困死於大梁」或非事實。但無其他佐證，只得存疑。

三二　秦趙長平之戰

秦昭王三十六年（西元前二七一年），秦國開始確守張祿（范睢）「遠交近攻」的戰略原則，暫置齊、楚，而以韓、魏兩國爲主要攻擊目標。尤以韓國失地最多。

昭王四十三年（西元前二六四年），秦將白起攻下韓國汾水流域的涇城（今山西省曲沃縣西北）等九城。翌年，又攻克其太行山以西的十城。又明年，秦攻韓國的野王（今河南省沁陽縣），野王降於秦。這一來韓國的都城新鄭（河南省今縣）與上黨郡（今山西省的東南部）之間的交通線被截斷。韓國大恐，想割讓上黨與秦以求停戰。上黨守靳黈（註一）不肯聽命，韓桓惠王改派馮亭以代靳黈。馮亭到了上黨，其居民仍不願歸秦。在道絕援斷的情況之下，馮亭只得轉而以上黨所轄的十七個城邑降趙，趙國接受了，並封馮亭爲「華陽君」（註二）。

秦昭王四十七年（西元前二六〇年），秦國派大將王齕進攻上黨。趙孝成王遣老將廉頗往救，屯兵於長平（今山西省高平縣西北）。此年四月，王齕進攻長平。廉頗接戰失利（註三），只得築壘壁而守。秦人屢挑戰，趙兵不出。秦相范雎縱反間計，放出謠言說：「秦國所畏懼的趙將，只有馬服君趙奢之子趙括。廉頗容易對付，已經快要投降了。」趙王中了秦人的反間計，果眞以趙括代廉頗爲將。

秦人聞趙王中計，暗地裡改派武安君白起爲主將，號稱「上將軍」，而以王齕爲「尉裨」（副將）。並下令：敢洩漏換將消息的斬無赦。

趙括是趙奢的兒子。趙奢於趙惠文王時大破秦軍於閼與，以功封馬服君（註四）。趙奢歿後，由趙括襲封。趙括「自少時學兵法，言兵事，以爲天下莫能當」。其實他「徒能讀其父書傳，不知合變」。既代廉頗領軍，「悉更約束，易置軍吏」，並立即出兵攻擊秦軍。秦軍佯敗退走，趙軍逐北，直逼秦壘。秦人出奇兵二萬五千人斷絕趙追兵的後路，又另以一萬五千人阻絕趙軍的壁壘。於是趙軍分而爲二，彼此不能相顧，糧道又被截斷。趙軍只得築壁堅守，以待援兵。

秦王聞知趙軍被困，糧道已絕，遂親往「河內」（註五），徵發年在十五歲以上的民眾，悉數前往長平增援。到了這年九月，趙軍已經被圍達四十六日之久，糧盡援絕，突圍四、五次不成。最後趙括只得親自率領銳卒搏戰，秦軍射殺趙括，趙軍四十餘萬人全部投降。

秦將白起，因見秦軍攻上黨之役，上黨人不肯降秦而歸趙，唯恐這次的降卒反覆爲患，於是「挾詐」將他們盡數坑殺。只餘剩二百四十個幼弱的遣送回趙國。這一役趙軍陣亡與被坑殺的共達四十五萬人（註六），是列國的戰爭中，殺戮最慘酷的一次。

【註釋】

註一　戰國策（趙策一）中的這個「𧁮」字，爲字書中所無，當有誤。

註二　戰國策趙策一云，馮亭辭封返韓。漢書馮奉世傳則謂馮亭與趙括同戰死於長平。未知孰是。

註三　史記白起傳云：「四月……秦斥兵斬趙裨將茄。六月，陷趙軍，取二鄣（壁壘）、四尉（軍官）。」

註四　見本書第三〇篇。

註五　秦國自魏國所取得的地方。今河南省所屬的黃河以北的地區。

註　六　秦坑趙降卒四十萬人的事，朱熹不信，認爲是誇大之辭，他說：「若謂之盡坑四十萬人，將幾多所在！」（見朱子語類一三四）。

三三　魯仲連排難解紛

戰國時代眾多的辯士之中，齊人魯仲連可算得是個矯矯不群的人物。他「好奇偉俶儻（註一）之畫策，而不肯仕官任職，好持高節」。

白起大破趙軍四十萬於長平，秦兵進圍邯鄲（西元前二五九年）。魏將晉鄙所率領的援軍十萬，因畏秦稽留在蕩陰（故城在今河南省湯陰縣西南）不進。魏安釐王遣「客將軍」新垣衍赴趙，勸說趙孝成王與平原君發使尊秦昭王爲帝，以求罷兵。平原君猶豫未決。

這時候，魯仲連正遊抵趙國。他往見平原君，問：「事將奈何？」平原君無奈地說：「我還敢說甚麼話！前時在外喪師四十萬眾，現在國都又被圍攻。魏國不但沒有救兵到來，還派了一個叫新垣衍的使者來勸趙國尊秦王爲帝，其人就在此間，我還敢說甚麼話！」魯仲連問：「魏國來的新垣衍在那裡？讓我來代你打發他回去！」於是平原君介紹魯仲連去見新垣衍。初時新垣衍不願相見，經平原君固請，他才勉強應允。兩人見面，魯仲連竟一言不發。新垣衍忍不住開口說：「我看目前身在這個圍城中的，多數是有求於平原君的人，以先生的容止，不像有求於人的，爲甚麼不離開？」魯仲連說：「秦國是個棄禮義而尚首功的國家，倘使秦王公然稱帝，君臨天下，我就寧願蹈東海而死，決不願做他的臣民！今天我來會見將軍，是要讓大家明辨事實的利害，使齊、楚、燕、梁各國，一同援救趙國。」新垣衍說：「別國且不說，今天我就是梁國派來的人，請問你將怎樣使得梁國救趙？」魯仲連說：「這只是沒有看得出秦王稱帝的害處罷了，倘使梁國眞能體會到秦稱帝之害，就一定會幫助趙國了。」接著，魯仲連舉陳商紂「醢九侯，脯鄂侯，囚西伯」的史事，說明一旦尊秦王爲帝，則秦王勢將「行其天子之禮以號令於天下」，諸侯不得不唯命是從。到那時「梁王又安得晏然而已」，「將軍又何以得故寵？」新垣衍聞言再拜說：「從前我以爲先生是個平庸的人，今天才知道先生果然不愧是天下士！我要走了，不敢再提尊秦爲帝的事了。」

未久，魏國的信陵君奪晉鄙的軍隊前來救趙（註二），楚國的援軍也開到。秦軍退走，邯鄲之圍終得以解除。

大約在此後八年（註三），燕將某攻拔齊國的聊城（故城在今山東省聊城縣西北）。因有人在燕王喜跟前進讒言，燕將遂據聊城不敢歸國。齊軍圍攻經年而不能克復，士卒死傷極多。魯仲連致書於燕將，反覆說明「智者不倍（背）時而棄利，勇士不怯死而滅名，忠臣不先身而後君」的道理，並且說：「爲公計者，不歸燕，則歸齊。今獨守孤城，齊兵日益而燕救不至，將何爲乎？」燕將得到這封書信，涕泣三天，猶豫不能自決。待要歸燕，則已與燕王生隙；待要降齊，又怕受辱，最後只得自殺身亡（註四）。齊人乃得以收復聊城（註五）。

趙、齊兩國，曾經先後要授魯仲連以官職，他固辭不受，說：「我與其貪享富貴而受制於人，毋寧甘於貧賤而得以悠游自在！」（註六）

【註釋】

註一　廣雅云：倜儻，卓異也。

註二　見本書第三五篇。

註三　資治通鑑繫其事於秦孝文王元年（西元前二五〇年）。

註四　此從史記與通鑑。戰國策齊策六云：「燕將曰：敬聞命矣。因罷兵倒韣去」。

註五　史記本傳與戰國策齊策，都誤將此次事件與「田單復國」牽連在一起。實則前後相隔近三十年，兩事毫不相涉。說見戰國策元吳師道補注。

註六　孔叢子執節篇云：「魏安釐王問天下之高士。子順（孔子八世孫，時爲魏安釐王相）曰：世無其人也。抑可以爲次，其魯仲連乎！」這一段記述容或出自後人的假託。但事實上在那舉世滔滔的戰國末期，像魯仲連這樣的高節，確是無人可比的。

三四　毛遂劫楚王要盟

趙國的平原君趙勝，是惠文王之弟，他也雅好養士，賓客多至數千人。平原君在惠文王與孝成王兩朝，曾三度爲相，受封於東武城（今山東省武城縣西）。

秦將白起大敗趙軍於長平之後，秦國又遣王陵進攻趙都邯鄲，一時未能攻下，仍改派王齕爲將，圍攻甚急（註一）。趙孝成王使平原君前往楚國求救。

平原君要在門客之中挑選二十個「有勇力，文武備具」的人士偕行，結果可取的只有十九人，不能足數。門下有個叫毛遂的，向平原君自薦。平原君問他在門下已有幾年，他回答說已經三年。平原君道：「賢士之處世，有如鐵錐放在囊中，它的尖端自會露出來。如今你寄居在我門下長達三年之久，從來沒有聽到人稱贊你的，我也沒有看出你有多大的能耐，可見你沒有甚麼過人之處，你還是不要去吧！」毛遂不服氣地說道：「這是由於直到今天我才自己請求放進囊中的緣故，倘使我能早在囊中，也就早該脫穎而出了，豈只露出錐尖而已。」平原君拗他不過，只好讓他參加。

平原君到了楚國，與楚（孝烈）王商談合縱的問題。從日出一直談到中午，還沒有得到結果。毛遂從殿下按劍歷階而上，對平原君說：「合縱的利害，只要兩句話就可以解決，爲甚麼今天從日出談到日午，還得不到個結論！」楚王問平原君：「這是什麼人？」平原君回答道：「是我門下的舍人。」楚王對毛遂怒叱道：「還不下去！我和你的主君說話，你來插甚麼嘴！」毛遂按著劍向前說：「大王之所以叱責我，不過是仗著楚國的人衆而已，今日相距十步之內，大王怎能憑恃楚國之衆？大王的性命就懸在我的手中。吾君就在面前，你憑甚麼叱責我！從前商湯以七十里的土地而終於王天下，文王以百里的土地而終於君臨諸侯，難道他們是依靠地廣人眾嗎？只是由於他們能夠因時乘勢，奮發揚威而已。現在楚國地廣方五千里，持戟之士多達百萬，以此論楚國之强，應該是天下無敵了，白起一個小豎子，率領數萬之眾伐楚，一戰就攻下了鄢、郢，再戰就燒燬了夷陵，三戰就辱及了楚國的先人（指焚燒陵墓與宗廟）。這些都是百世的仇恨，而爲趙國所深恥的，大王對此竟沒有一點羞惡之心！今天合縱以抗秦，其實也是爲了楚國的利益，難道只是爲了援救趙國！吾君就在面前，你憑甚麼叱責我！」楚王大吃一驚，連忙答應道：「就照先生的話，寡人願奉社稷以相從！」毛遂反問道：「合縱定了嗎？」楚王斬釘截鐵地說：「定了！」毛遂回轉身來對楚王左右的侍臣說：「快取雞、狗、馬血來！（註二）」牲血取來了，毛遂捧著銅盤跪進到楚王前說：「請大王歃血定盟，其次是吾君，再次是我。」於是在殿庭上完成了訂盟的儀式。然後毛遂左手持盤，右手招著十九個同伴說：「各位因人成事，就在堂下歃血吧！」

楚孝烈王依約派春申君領軍前往救趙，魏信陵君也奪了晉鄙的十萬大軍赴援（註三），邯鄲之圍乃得以解除。

事後平原君感歎地說：「往日我自以爲閱人多，不會錯失天下之士，從今以後，我不敢再相天下士了。」

【註釋】

註　一　事在周赧王五六——五七年（西元前二五九——二五八年）。

註　二　依禮，會盟所用的犧牲，按身分的貴賤而分：天子用牛、馬，諸侯用犬、豕，大夫以下用雞。戰國時諸侯與大夫，都僭越逾禮。

註　三　見本書第三五篇。

三五　信陵君奪軍救趙

魏公子無忌是魏昭王的少子，安釐王的異母弟。安釐王即位（西元前二七六年），封無忌爲信陵君。信陵君爲人謙和下士，天下士爭歸他門下，食客號稱三千人。

信陵君之姊是趙國平原君的夫人。周赧王五十七年（西元前二五八年），秦軍圍攻邯鄲甚急，趙國派往魏國求救的使者，冠蓋相屬。初時魏王命將軍晉鄙領兵十萬救趙，秦王遣使警告：「我攻下趙國只在旦夕之間，諸侯有敢援趙的，待攻下趙國之後，立刻就移兵攻他。」魏王害怕，急命晉鄙屯軍鄴邑（故城在今河南省臨漳縣西）不進，名爲救趙，實際上是陰持兩端。平原君致書信陵君，責他不顧姻戚，不能急人之困。信陵君屢次請求魏王，又使賓客辯士等，向魏王進言，任憑游說萬端，始終打不動魏王的心。信陵君無計可施，只得邀集門下的賓客，共約車騎百餘乘，準備赴趙，與趙共存亡。

信陵君素來與隱士侯嬴相友善。侯嬴年已七十，家貧，充當大梁城夷門（大梁城的東門）的「監門吏」。平日信陵君待他優禮過於常人。信陵君等行過夷門，見到侯生，侯生只淡淡地說：「公子勉之，老臣不能相從。」信陵君出城數里，越想越不是味道。自忖：「平日我待侯生不薄，今日我有難將往赴死，侯生竟沒有片言相送，這是甚麼緣故？」於是回車再到侯生處。侯生笑道：「我料到公子必定會回頭的，現在公子這樣地赴秦軍，無異於拿肉去投向餓虎，於事何補？」侯生又屏人悄悄地對信陵君說：「聽說晉鄙的兵符藏在王的臥內，倘若由王的寵妃如姬去偷，必能得手。公子曾替如姬報殺父之仇，公子有事，如姬一定萬死不辭。公子只要一開口，就能得到兵符。有了兵符，就可以奪晉鄙的軍隊救趙了。」

公子無忌依言行事，果然偷到了兵符。侯生又說：「將在外，君令有所不受。如果晉鄙合符仍不交出軍隊，又將奈何？我有一個做屠夫的朋友，叫做朱亥，是個大力士，可以邀他同行。晉鄙若肯聽從便罷，倘使執意不肯交出軍隊，就狙殺他。」無忌聽到這話不覺泫然淚下。侯生問：「公子害怕嗎？」無忌說：「晉鄙是個行事拘謹的宿將，只恐他不會輕易地交出軍隊，勢將殺了他才能達到目的。我為他的命運悲哀，因而落淚，豈是怕死！」信陵君再親往請求朱亥，朱亥毅然答應隨往行事。

諸事準備停當，出發前信陵君去向侯生辭行。侯生說：「臣以年邁不能相從，預計公子到達晉鄙軍前時，臣當自刎以明此心。」

公子無忌到達鄴城，矯魏王的命令代晉鄙領軍。晉鄙合符之後，果然不肯相信，說：「

今日我統領十萬大軍屯駐在國境上，身負國家安危重任，怎能聽憑公子單車前來相代呢？」話才出口，旁邊的朱亥突然從衫中拿出一柄四十斤重的鐵槌，只一槌就打得晉鄙腦漿迸裂而死。信陵君勒兵，下令軍中：「士卒中有父子都在軍中的，父歸子留；兄弟都在軍中的，兄歸弟留；獨生子在軍中的，歸養。」餘下來的共得「選兵」八萬人，進軍大破秦軍於邯鄲城外。秦軍主將王齕退走。別將鄭安平爲趙所困，以所部二萬人降趙。邯鄲之圍終告解除。

當信陵君抵達晉鄙軍前時，大梁的侯嬴果然自殺身亡。

信陵君這番卻秦存趙，趙國君臣對他的感激與尊崇自然不在話下。但他盜兵符，殺晉鄙，於魏國卻有重罪。因此成功後不敢回國，只遣裨將領軍歸魏，自己與隨從的門客留居趙國，十年不歸。

秦國見信陵君去國，乃接連出師伐魏，攻城略地。魏安釐王深以爲患，要求信陵君返國。初時信陵君不肯，後經趙國的處士毛公、薛公（註一）兩人曉以大義，他才返魏。安釐王授以大將軍印。諸侯聞信陵君歸爲魏將，都派兵援魏。魏安釐王三十年（西元前二四七年），信陵君率諸侯之兵，擊破秦將蒙驁於「河外」（黃河之西），逐敵直到函谷關前。這時候，信陵君眞可說是威名震天下。

後來，魏王中秦人的反間計，對信陵君生疑，使他人代領其軍。信陵君被廢，在失意之餘，就終日沈溺於醇酒婦人。這種頹唐的生活過了四年，結果病酒而死。同年，安釐王亦死。

從此，六國對秦的抵抗力更趨微弱。同時，秦國東進的軍事行動，也就更加緊腳步進行了。

【註釋】

註　一　「趙有處士毛公，藏於博徒；薛公，藏於賣漿家。公子……從此兩人游，甚歡。」見史記信陵君列傳。

三六　白起的戰功與其死

郿（今陝西省郿縣東北）邑人白起（註一），以長於用兵事秦昭王。

周赧王二十一年（秦昭王十三年，西元前二九四年），白起爲「左庶長」（註二），領兵攻韓國的新城（今河南省洛陽南）。明年，白起爲「左更」（註三）。秦相魏冉（穰侯）推舉白起代向壽爲將，攻韓、魏聯軍於伊闕（今河南省洛陽南），斬首廿四萬，虜魏將公孫喜，拔五城，遷升「國尉」（註四）。緊接著又渡河攻韓，取安邑以東至乾河的地方（大致是今山西省南端的夏縣、聞喜、絳縣一帶），以功晉爵「大良造」（註五）。翌（西元前二九二）年，攻拔魏國的垣城（今山西省垣曲縣西）。過了三年（西元前二八九年），再攻魏，拔大小城邑六十一個。周赧王三十五年（西元前二八〇年），他又攻拔趙國的光狼城（今山西省高平縣西）。

周赧王三十六年（西元前二七九年），白起奉派領軍大舉進攻楚國，連拔鄧（今河南省鄧縣）、西陵（今湖北省宜昌縣東）等五個城邑。又引夷水（一名長谷水）灌楚都鄢郢（今湖北省宜城西南），鄢郢城潰，楚軍民淹死的多達數十萬人（註六）。白起又乘勝進軍到竟陵（故城在今湖北省天門縣西北），並焚燬了楚國先王塋墓所在的夷陵（在今湖北省宜昌縣境內）。楚頃襄王東逃，徙都於陳（今河南省淮陽縣）。秦國以此戰所得的楚地，設置了「南郡」。白起以殊功晉封爲「武安君」。

白起在攻取了南郡之後，又相繼略定楚國的巫、黔中等地區。

周赧王四十二年（秦昭王三十四年，西元前二七三年），趙、魏合軍攻韓。秦國派穰侯魏冉率白起與客卿胡陽（一作胡傷）救韓，與趙、魏軍戰於華陽（今河南省新鄭縣東南）。擊走魏將芒卯（一作孟卯），斬首十三萬。又敗趙將賈偃，沈其卒二萬人於河（註七）。

周赧王五十一年（秦昭王四十三年，西元前二六四年），白起攻取韓國的陘城（今山西省翼城縣東南）等九城。此後的兩年之間，又連續攻下韓國所屬太行山南的南陽（此南陽爲今河南省獲嘉縣）與野王（今河南省沁陽縣），截斷了韓國上黨郡與國都新鄭間的通道。

周赧王五十四年（秦昭王四十六年，西元前二六一年），秦王派「左庶長」王齕進攻韓國的上黨，上黨郡守馮亭率軍民歸於趙國，趙遣廉頗扼守長平（今山西省高平縣西北）以拒秦。其後趙王中秦國的反間計，改派趙括領軍，結果全軍覆沒，趙卒被坑殺者四十餘萬人（註八）。

趙人震恐，與韓國一同遣使至秦，要求獻地媾和。秦相張祿（范睢）言於昭王：「秦兵勞，請許韓、趙割地以和，且休士卒。」秦王遂許韓割雍垣（今河南省陽武縣西北），趙割六城（六城之名不詳）以和，在周赧王五十五年（秦昭王四十七年，西元前二六〇年）正月罷兵。

白起素來與穰侯魏冉友善，白起之爲將，原出於魏冉的舉薦。後來張祿奪了魏冉的相位（註九），現在又說動秦王罷兵，使得白起乘勝再建殊功的希望破滅。因而白起與范睢之間，發生了極大的嫌隙。

此年九月，秦王再遣「五大夫」（註一〇）王陵進攻趙都邯鄲，王陵出師不利。翌（西元前二五九）年正月，秦增派援兵，王陵仍不能取勝，並折損了五員中級將佐。秦王要白起前往代王陵領軍，白起說：「邯鄲是實在難以攻下的。秦軍雖有長平之捷，而士卒死者過半，國內空虛。今番遠隔山河而往進攻他國的都城，內有趙軍頑抗，外有諸侯救援，秦軍必敗。此戰不能繼續下去，我也不能前往。」秦王見自已派他不動，又叫應侯去勸說，白起索性稱病不起，不肯應命。秦王只得改派王齕前往接替王陵。

秦軍圍攻邯鄲，前後共經三個年頭（西元前二五九—二五七年），仍不能攻下。周赧王五十八年（西元前二五七年）八、九月間，楚國春申君與魏國信陵君所率領的兩枝援軍數十萬到達，進攻秦軍，秦軍傷亡很重。身在咸陽的白起帶點幸災樂禍的口吻說：「吾王不聽我的忠告，今天怎麼樣？」這話傳到了秦昭王的耳中，不禁大怒，更強迫他力疾前往接替王齕。白起以病重辭，秦王更是怒不可遏，削除了白起的勳爵，將他降爲「士伍」（士卒），謫戍到西北邊陲的陰密（今甘肅省靈臺縣西北）。這時的白起，眞的有病不能行動。再過了三個月，邯鄲外圍，諸侯派來的援軍加緊進攻秦軍，秦軍不斷退卻。秦昭王命令白起不得稽留在咸陽。白起勉强扶病登程，走出咸陽城十里，來到一個叫作杜郵的地方，秦王又遣使「賜劍」，命他自裁。白起說：「我有甚麼罪竟至於此！」隔了一會又說：「長平之役，我坑殺趙卒四十萬人，傷天害理，該有今日的下場！」說罷，就自刎而死。時爲周赧王五十八年（秦昭王五十年，西元前二五七年）十一月。

【註釋】

註　一　戰國策趙策三有「秦將武安君公孫起」之稱。既具有「公孫」的氏，很可能是周室的後裔或秦的公族（他的家鄉郿邑原屬周地，後爲秦有）。

註　二　左庶長是秦爵十級。

註　三　左更是秦爵十二級。

註　四　秦國的武職之中，有國尉、都尉、中尉、軍尉等官。

註　五　「大良造」又稱「大上造」，秦爵十六級。

註　六　白起掘夷水灌鄢事，見水經沔水注。史記白起傳云：「白起攻楚，拔鄢、鄧五城。其明年，攻楚拔郢。

「案：這個「郢」應該就是「鄢」，又稱「鄢郢」，是楚昭王所遷，也在江陵境內。實際上應該是上年秦軍圍鄢未下，引水灌城，翌年城始潰陷。史遷不察，誤爲兩個不同的城邑（楚考烈王二十二年—西元前二四一年—楚遷都壽春，也仍稱爲「郢」。見史記楚世家）

註　七　史記敘述此戰，分別見於秦本紀、六國表、趙、魏各世家，穰侯、白起各傳，諸篇互有漏誤。說詳史記志疑卷四、卷九、卷二九等。

註　八　見本書第三二篇。

註　九　見本書第二九篇。

註一〇　「五大夫」爲秦爵第九級。

三七　秦滅義渠

秦國的先世，起於西陲，與諸戎爲鄰，同時也與諸戎不斷發生衝突（註一）。周室經犬戎之難，平王東遷雒邑。秦襄公以勤王之功，得爲諸侯。周平王又對他說：「戎無道，侵奪我岐豐（註二）之地，秦能逐戎，即有其地。」於是秦襄公更加積極地展開對西戎的軍事行動。襄公且歿於伐戎的軍中。其後寧（註三）公、武公等君，也都致力於征伐西戎，拓地甚廣。

春秋時秦穆公（西元前六五九—六二一年）用內史廖的計謀，誘降了戎王的賢臣由余（註四）。到了周襄王二十八年（西元前六二四年），秦國用由余的計策伐戎，征服了隴西、岐北一帶的緜諸、緄戎、翟獂、義渠、大荔、烏氏、朐衍等西戎部落，秦國也成爲了西戎的霸主。秦穆公卒後，諸戎仍時叛時服。

義渠的領土，大致在今甘肅省慶陽、涇川等縣一帶，是西戎中最强大的一支。其君主早在春秋時代就已稱王。當春秋、戰國之交，不斷與秦國相攻伐。

秦孝公既立，變法圖强，除了東向出兵伐魏之外，又西攻獂戎（即翟獂），擒斬了它的君主。秦惠文王立，秦國的國勢更强而蠶食諸戎也更急。義渠只得一面築城防衛，一面向秦稱臣，但仍免不了失地於秦。

周愼靚王三年（西元前三一八年），趙、魏、韓、楚、燕五國合縱攻秦，義渠乘機起兵襲秦，大敗秦軍於李帛（今地不詳）（註五）。

周愼靚王六年（西元前三一五年），秦伐義渠，取二十五城（註六）。周赧王五年（西元前三一〇年），秦武王又派兵伐義渠。到了周赧王四十三年（秦昭王三十五年，西元前二七二年），義渠發生內亂，秦人誘殺義渠王於甘泉（註七），然後出兵伐滅義渠（註八）。

從此秦國盡有隴西（郡治在今甘肅省臨洮縣東北）、北地（郡治在今甘肅省寧縣西北）、上郡（郡治在今陝西省綏德縣東南）的地方，乃開始在沿邊增築長城以禦胡。

【註釋】

註一 周宣王時秦仲「誅」西戎，西戎殺秦仲。見史記秦本紀。
註二 其地大致是今陝西省西起鳳翔，東至扶風一帶。
註三 梁玉繩以爲「寧」是「憲」之訛。見史記志疑卷四。
註四 由余，其先晉人。奉戎王的派遣出使於秦。秦穆公同他談話，發現他是一位出眾的賢才，於是用內史廖之謀，以女樂贈與戎王，使他怠於政事。又稽留由余，使他失期不歸，以啓戎王的疑心。由余歸國後，屢諫戎王不聽，其君臣之間，又不斷遭受秦人的離間，以致由余終被迫降秦。其事除史記秦本紀外，又見於韓非子十過篇、呂氏春秋壅塞篇、不苟篇、韓詩外傳九等。
註五 見戰國策秦策二。
註六 見史記秦本紀與匈奴傳。
註七 甘泉山在今陝西省淳化縣西北。秦建離宮於山麓，稱爲甘泉宮。
註八 史記匈奴列傳云：「秦昭王時義渠王與(秦)宣太后亂，有二子。宣太后詐而殺義渠王於甘泉，遂起兵伐殘義渠。」逸周書史記篇云：「昔者義渠有兩子，異母而皆重。君疾，大臣分黨而爭，義渠以亡。」兩處史料，頗有出入。

三八　周室的覆亡

戰國以來的「周天子」，自威烈王以下都從「東周」而居。到了末代的赧王，再徙「西周」（王城）（註一）。

東、西兩周包於韓、魏之間，地處中原衝要。秦、齊、楚、韓等國相爭，常向兩周假道徵粟。安置在西周的九鼎，也常遭覬覦（註二）。兩周依違於諸雄之間，顧此失彼，動輒得咎，苟且偷安，朝不保夕。雖然是處於這樣的情況之下，兩周之間，卻仍時起蠻觸之爭（註三）。

周赧王五十八年（西元前二五七年），秦國力攻趙都邯鄲，西周君以「三晉」的情報供給秦國，以求「不失重國之交」。翌年，秦國又進攻韓國的陽城、負黍（今河南省登封縣一帶），兵鋒逼近周地。西周君大恐，「背秦與諸侯約縱，將天下銳師出伊闕（今河南省洛陽南）攻秦，令秦無得通陽城。（註四）」秦昭王怒，使將軍摎攻西周。西周君（註五）懼而赴秦「頓首謝罪，盡獻其邑三十六，口三萬」。秦昭王受其獻，遷西周君於𢍰狐聚（在今洛陽南一百五十里）。此年，赧王與西周君俱卒。西周之民群向東周逃亡。七年後（西元前二四九年），秦莊襄王滅東周，周室遂告覆亡。

至於周室安置在雒邑的傳國寶器九鼎（註六），有說周亡之際入於秦（註七）的，也有說「宋太丘社亡」時沒入於泗水彭城之下（註八）的，又有說是「秦昭王取九鼎，一飛入泗水，餘入於秦中」（註九）的，傳說紛紜。又相傳秦始皇時，聞九鼎出現於「泗淵」，始皇大喜，使數千人沒水求之，不得（註一〇）。漢代秦興，也未得到這九件「神器」。因而漢文帝信方士新垣平的話，「治廟汾陰……欲祠出周鼎」（註一一）。結果也是一場空。看來這九鼎的下落，已經成了歷史上永遠解不開的謎題了。

【註釋】

註一　見本書第九篇。

註二　戰國策東周策云：「秦興師臨周而求九鼎，周君患之」；「齊將求九鼎，周君又患之」；「秦假道於周以伐韓，周恐假之而惡於韓，不假而惡於秦」；「楚攻雍氏（春秋時鄭邑，後歸韓，在今河南省禹縣東北），周粻（供給糧食）秦、韓，楚王怒周」。西周策云：「薛公（田嬰）以齊爲韓、魏攻楚，又與韓、魏攻秦，而藉（借）兵乞食於西周」；「雍氏之役，韓徵甲、粟於周，周君患之」；「楚請假道於二周之間以臨韓、魏，周君患之」。凡此屢見不鮮。

註三　如：「東周與西周爭，西周欲和於楚、韓」；「東周欲爲稻，西周不下水」；「西周甚憎東周，常欲東周與楚惡」；「東周與西周戰，韓救西周」。均見戰國策東周策。

註四　見史記周本紀。

註五　史記周本紀正義云是西周武公。

註六　史記周本紀云：「成王在豐，使召公營雒邑，如武王之意。周公復卜，申視，卒營築，居九鼎焉。」此九鼎大概是商代所鑄。「禹收九牧之金」以鑄九鼎的傳說，恐難信據。

註七　見史記周本紀。

註　八　見史記六國表周顯王三十三年（西元前三三六年）秦欄與封禪書。大事記解題引蘇子瞻的推斷云：「此周人毀鼎以緩禍，而假之神妖以為說」。這說法頗為近理。

註　九　見史記秦本紀正義。

註一〇　見水經泗水注。

註一一　見史記封禪書。

三九　燕王喜攻趙取敗

燕王喜之立（西元前二五四年），已是周赧王死後的第二年，上距田單復齊（西元前二七九年）二十五年，距秦、趙長平之戰（西元前二六〇年）六年。

燕王喜四年（西元前二五一年），燕王命其相栗腹出使趙國，「以五百金為趙王酒」，名為「約歡」，實際上是前往刺探情報。栗腹返燕報告：「趙國的丁壯多死於長平之役，他們的遺孤還未長成。我國可以乘這個時機興兵攻伐。」燕王召問「昌國君」樂間（註一）。樂間回答道：「趙國是個四戰之國，人民習於兵事，不可輕侮。」燕王說：「我以多於趙國數倍的兵力進攻，該可以取勝吧？」樂間仍以為不可。燕王非常生氣。群臣貪功，也以為可伐。於是燕王喜動員了六十萬大軍，令栗腹率四十萬人攻鄗（今河北省柏鄉縣北），令另一員大將慶秦領二十萬人攻代（註二）。並自率偏軍爲後援。大夫將渠力諫說：「與人通關約而反攻之，不祥。」並拉住燕王喜身上的絲絛說：「王必無自往，往無成功！」燕王一腳踢開他，不顧一切地發兵襲趙。

趙孝成王派大將廉頗率八萬人迎戰栗腹，又命樂乘（樂毅的宗族）領五萬人迎戰慶秦。趙軍在兩處戰場，都大獲全勝，破殺栗腹，生俘慶秦。樂間怒燕王喜不聽忠諫，喪師取敗，乃奔往趙國。

廉頗、樂乘揮軍進圍燕都。燕王喜大懼，「重禮割地」以求和，趙軍方解圍而去。時爲西元前二四九年。

【註釋】

註一　樂毅奔趙之後，燕王仍封其留在燕國的兒子樂間爲昌國君。

註二　此從戰國策燕策三。史記燕世家云：「起二軍，車二千乘。」

四〇　春申君相楚與其死

春申君姓黃名歇，以博聞能辯，事楚頃襄王（懷王之子），爲「左徒」的官職。

自從楚懷王被騙入秦而死之後，楚國備受秦國的輕侮，先後喪失巫、黔中、鄢、郢等地，被迫將國都東遷到陳（今河南省淮陽縣）（註一）。

接著，秦國大破趙、魏聯軍於華陽（今河南省新鄭縣東南），又與韓國聯合圍攻魏都大梁，魏獻南陽以求和（註二）。至此，魏、韓兩國都已服秦，於是秦昭王準備遣白起合魏、韓共伐楚。

楚頃襄王派黃歇出使秦國，以圖挽救危機。黃歇抵達秦國，上書昭王，力陳伐楚不利於秦，勸昭王「善楚」而以威服韓、魏。並且說：「這樣一來，齊、燕、趙三國也將「不待痛而服」。秦昭王被他說動，中止伐楚之謀，轉而與楚約爲盟國。

黃歇受約歸國後，又陪同太子元（註三）入質於秦。留秦數年，楚頃襄王病，而太子元羈留秦國。只怕一旦楚王不起，王位勢將爲其他王子所奪。黃歇以太子元與秦相張祿（范雎）頗爲友善，乃向張祿進言：秦不如放太子元歸國，使他能夠繼位，則太子必感恩而事秦，否則楚國另立其他王子，勢將與秦絕交，非秦國之利。應侯言於秦昭王，昭王只答應先讓黃歇返國探病，回秦後再作決定。黃歇見秦王堅留太子不放，於是將太子喬裝成楚使的御者模樣，驅車逃出函谷關，自己卻仍留在館舍中。等到秦王發覺時，人去已遠，追之不及。昭王大怒，要殺黃歇。終由於應侯緩頰，不但未加誅戮，而且遣他回楚。

楚頃襄王既死（西元前二六三年），太子元繼立，是爲考烈王。考烈王以黃歇爲「令尹」，賜以「淮北地十二縣」，封爲「春申君」。旋又應春申君的請求，改以江東「故吳（註四）」之地爲他的封邑，而以原來所封毗鄰於齊國的淮北置爲郡。

春申君也雅好養士，略後於齊之孟嘗君，趙之平原君，魏之信陵君。史有「戰國四公子」之稱。

春申君相楚後，秦將白起殲趙軍四十萬於長平（西元前二六〇年）。翌年，秦軍又圍攻趙都邯鄲。趙國向楚告急，楚國派春申君領兵往救，未至而秦軍退去（註五）。

春申君爲相的第八年（西元前二五五年），楚國併滅了魯國，聲威復振。楚考烈王二十二年（西元前二四一年），楚與趙、魏、韓、燕五國合縱伐秦，不勝，楚王頗歸咎於春申君。

春申君的門客朱英言於春申君：在頃襄王的時代，楚國有二十年之久不受秦侵，是由於仗著韓、魏兩國作爲屛障的緣故。今魏國亡在旦暮之間，眼見得秦、楚之間的戰爭勢將接連而起。一旦戰事發生，北境的許（今河南省葉縣）與鄢陵（河南省今縣）等地必難以固守。今楚都陳距許只有一百六十里，極容易遭受侵襲，以遷地爲良。春申君採納了朱英的建議，將楚都徙於壽春（今安徽省壽縣）。同時，春申君也就封於吳，但仍領相事。

春申君的舍人趙人李園，有妹名女環（註六）貌美而多才藝，除了能「鼓音」（鼓琴）之外，並「讀詩書，通一經（註七）」。初爲春申君妾，獻於考烈王而有寵，生一子名悍（一作捍）。其後女環立爲后，熊悍爲太子。李園也因而貴幸，常出入宮中，陰謀殺春申君以攘奪政柄。外人已頗有風聞，但春申君還沒有察覺。朱英告訴春申君：李園私養「死士」，其心叵測。朱英又獻計，要春申君安置他到宮中充當一名「郎中」（註八），一旦楚王晏駕，朱英就乘機刺殺入宮的李園，以除後患。春申君認爲李園是個「弱人」，更兼自己有恩於他，不信會有相害之心。朱英見言不用，恐怕禍及於身，於是潛逃而去。

十七天之後，楚考烈王死。春申君入宮，在進入「棘門」的時侯，果然被李園預先埋伏勇士刺殺。接著李園又盡滅春申君的全家。熊悍嗣位，是爲楚幽王。楚國的政權，就此落入了李園的手中（註九）。

李園刺殺春申君的這一年（西元前二三八年），是秦始皇即位的第九年。秦益强而六國益不振，戰國時代也就接近尾聲了。

【註釋】

註一　事在西元前二七八、二七七年。

註二　事在西元前二七三年。

註三　史記楚世家索隱引世本作「完」。

註四　大致爲淮、泗以南與今浙江省嘉、湖一帶的地方。

註五　見本書第三四篇。

註六　史記春申君列傳、戰國策楚策四、列女傳等均不載李園妹何名。「女環」之名只見於越絕書。

註七　見越絕書。

註　八　周時爲宮廷中的近侍，並非職官。

註　九　史記中（楚世家與春申君列傳等）無李園執政的記述。但長沙馬王堆出土的帛書戰國策第二十五篇有云：「秦使辛梧據大梁，合秦、梁而攻楚，李園憂之。」可見此時楚國由李園柄政。史記春申君列傳，述楚考列王無子，春申君先幸李園之妹有孕，然後進之於考烈王。當是本於戰國策。其事與呂不韋「以呂易嬴」的說法極爲類似，也同樣地無稽。茲不采其說。

四一　鄭魯衛三小國的滅亡

鄭、魯、衛都是姬姓之國。它們在列國中文化高出一般之上，但其所背負的封建與宗法制度的包袱也更重。尤其是封地處於中原，四周都是強鄰，逼蹙無可發展。因此，經春秋而至戰國，三國都陵夷已甚。

鄭國始封於周宣王二十二年（西元前八〇六年）。首代的鄭桓公是周厲王之子，周宣王的同母弟（註一）。其封地原在鎬京畿內的棫林（今陝西省華縣西北）。鄭武公（西元前七七〇—七四四年）時遷於河、濟之南的虢、鄶之地（今河南省新鄭縣）（註二）。春秋末葉，鄭國已屢爲晉國所侵伐。三家分晉的前後，以領地相鄰的緣故，受韓國的陵逼更甚。例如：周威烈王三年（西元前四二三年），韓武子伐鄭，殺鄭幽公；周威烈王十八年（西元前四〇八年），韓景侯伐鄭，取雍丘（今河南省杞縣）。鄭國為了自衛，也曾反攻韓國。周威烈王十九年（西元前四〇七年），鄭伐韓，敗韓兵於負黍（今河南省登封縣西南）；周安王二年（西元前四〇〇年），鄭伐韓，圍陽翟（今河南省禹縣）；周安王六年（西元前三九六年），頗能禦侮圖存的鄭繻公被弒，鄭人立幽公之弟乙，是為康公。周安王十七年（西元前三八五年），韓伐鄭，取陽城（今河南省登封縣東南）。周烈王元年（西元前三七五年），韓哀侯終於併滅鄭國。

周成王封周公旦之子伯禽於「少昊之虛」曲阜（今山東省曲阜縣），是為魯之始封（註三）。魯國自宣公（西元前六〇八—五九一年）時起，公室弱而「三桓」（註四）强，尤以季氏勢盛，專擅國柄。春秋中期，魯常見欺於齊。但以魯事盟主晉國甚謹，頗得其庇護。春秋末年，魯國又先後得到吳、越的扶持，因而尚能安保。戰國初期，魯穆公（西元前四〇七—三七七年）「尊事孔伋（子思）」，以公儀休為相，柳中詳為臣」，頗有賢君之譽。到了戰國後期，楚國接連西失地於秦，乃東取償於魯。周赧王五十四年（西元前二六一年），楚頃襄王伐魯，取「徐州」（註五）。周赧王五十九年（西元前二五六年），楚考烈王再伐魯，滅之。

衛康叔名封，是周武王的同母少弟。成王即位後，以殷商「餘民」封康叔為衛君，居河、淇間故「殷墟」之地（今河南省淇縣）。其後成王並舉衛康叔為周廷的司寇。自此以至周室東遷之前，衛國的地位一直都很重要。入春秋後其國勢寖衰。到了戰國初，服屬於趙，但仍不免受其侵奪（註六）。繼又成為魏國的附庸。周顯王二十三年（西元前三四六年）衛成侯貶號爲「侯」（註七）。孝襄侯（史又稱「嗣君」，西元前三二四—二八三年）時又自貶稱「君」。其領地已只賸下濮陽（今河南省滑縣東北）一邑。其子衛懷君（西元前二八二—二五二年）朝魏，爲魏安釐王所殺，改立元君（註八）。元君十四年（西元前二三八年），秦攻拔魏東地，並濮陽在內，設置東郡，徙衛君於野王（今河南省沁陽縣）。秦併天下（西元前二二一年），猶存衛君。到了秦二世元年（西元前二〇九年），始廢衛君角爲庶人。

【註釋】

註　一　此從史記十二諸侯年表。鄭世家說是宣王的庶弟。

註　二　這個號是所謂「東虢」。鄭的遷國之謀始於桓公，武公時方付諸實施。參閱困學紀聞卷十一。

註　三　史記魯世家謂周武王封周公於曲阜，但不就封，留佐武王。然詩魯頌閟宮云：「王曰叔父，建爾元子，俾侯於魯」。則始封當在成王時，受封者是周公的「元子」伯禽。錢穆先生以詩閟宮有「居常與許，復周公之宇」的語句，許就是今河南省許昌縣，今河南省又有魯山縣，因認爲周公始封原在成周之南。其子伯禽平淮夷、徐戎後，乃遷於曲阜。見錢著國史大綱第一篇第三章二（節）。

註　四　魯大夫孟孫、叔孫、季孫三家，都是魯桓公（西元前七一一—六九四年）之後，稱爲「三桓」。

註　五　又名郐州、舒州，故城在今山東省滕縣。其地原屬於齊，齊湣王敗亡時，爲魯國所取得。呂氏春秋首時覽云：「齊以東帝困於天下，而魯取徐州」，就是指此。

註　六　如：周烈王四年（西元前三七二年），趙伐衛，取都、鄙七十二。見史記六國表。

註 七 自春秋時起，諸侯多僭稱公。

註 八 衛孝襄侯之弟。他是魏婿，因而爲魏所扶立。

四二 李牧的戰功與其死

李牧原是趙國北邊的良將。他經常駐軍在「代」地的雁門（今山西省代縣）防禦匈奴。朝中特許他自置屬吏。軍中所徵收的市租，也全由他的「幕府」支配運用。因此將士們的給養豐厚，戰力强而戰志高。但是李牧除了嚴督士卒「習騎射，謹烽火，多間諜」之外，並不出戰。而且約束部下，如遇匈奴入寇時，要入壘嚴守。有敢擅出捕虜敵騎的處斬。這樣地過了數年，雖然無所亡失，但匈奴各部與趙國的邊兵，都以爲李牧怯懦，只知自保。趙孝成王切責，他也不加理會，依然自若。於是趙王怒而召還李牧，另派他人相代。

繼任的主將，每遇匈奴來侵時，就派兵迎戰。但戰常不利，傷亡很多。邊民也無法耕牧。一年多之後，趙王請李牧復出，李牧稱病推辭。趙王强之再三，李牧說：「大王眞要用我，就須讓我仍照以前的作法，方敢奉命。」趙王只得依從了他，於是李牧再起守邊。

又過了數年，匈奴見到李牧仍然沒有甚麼出奇的策略，就益發輕視他。而趙國的邊軍將士，日受供養賞賜，卻不見用，都一個個急欲一戰。於是李牧挑選了戰車一千三百乘，戰馬一萬三千匹，力能「破敵擒將」的勇士五萬人，射手十萬人。一切布署停當，然後「大縱畜牧，人民滿野」。匈奴初時派出少數游騎試探，趙軍佯敗，於是匈奴單于傾巢出犯。李牧多設奇陣伏兵，張左右翼痛擊，大破匈奴十餘萬騎，林胡歸降，單于遁走。此後十餘年間，匈奴不敢再近趙國的邊境。

趙悼襄王立（西元前二四四年），廉頗奔魏（註一）。明年，悼襄王以李牧為將伐燕，拔武遂（今河北省徐水縣西），方城（今河北省固安縣南）等城邑。

悼襄王卒，趙王遷立（西元前二三五年）。趙王遷二年，秦將桓齮攻趙國的平陽（今山西省臨汾縣南）、武城（今山東省武城西）。趙將扈輒率師往救，兵敗而死，覆軍十萬。翌（西元前二三三）年，桓齮進軍攻赤麗（今地不詳），宜安（今河北省藁城縣西南）。李牧領軍迎戰於肥（肥纍故城在今河北省藁城縣西七里）下，大破秦軍，桓齮敗走。李牧以功封「武安君」。

趙王遷四年（西元前二三二），秦國大舉攻趙，軍至番吾（今河北省平山縣南）。李牧率軍迎敵，再度擊退敵軍。

趙王遷七年（西元前二二九年），秦王又使王翦攻趙。趙王派李牧與司馬尚為將禦敵。這時，秦王政用游士頓弱的計謀，以萬金游說於韓、魏、燕、趙之間，縱反間以瓦解諸侯的君臣。趙王遷的寵臣郭開，受了秦諜的賄賂，誣李牧等將反。趙王信讒，改派趙葱、顏聚往代。李牧回到邯鄲，被趙王賜死（註二）。未到半年，秦將王翦破邯鄲，虜趙王遷（西元前二二八年）。

【註釋】

註 一 趙悼襄王立，使樂乘代廉頗爲將。廉頗怒而攻樂乘，樂乘避走，廉頗畏罪奔大梁。見史記廉藺列傳。

註 二 此從戰國策秦策五。史記本傳云：「李牧不受命，趙使人微捕得李牧，斬之。」

四三 荊軻刺秦王

燕太子丹曾在趙國爲質子。其時，秦國的公孫嬴政也隨父爲質於趙（註一）。兩人頗爲相善。嬴政爲秦王後，燕丹爲質於秦。秦王殊無念舊之情，待他相當冷淡。燕丹怒而逃歸，誓欲報復。

燕丹問計於其傅鞠武，鞠武以爲應該「西約三晉，南連齊、楚，北媾匈奴，以圖秦」。燕丹覺得如此太過曠日彌久，緩不濟急。於是鞠武舉薦一個叫作田光的處士，說其人「智深而勇沈」，可以與他圖謀國事。

鞠武邀同田光來見。燕太子「卻行爲導，跪而撇席」以相迎。坐定後告以燕、秦不兩立，誓欲圖秦以謀自存的心意。田光自以精力消亡，衰老不堪任使，向太子稱道其友荊軻可以託付大事。太子要求田光介紹他結交荆軻，田光滿口答應。太子又叮囑他千萬不可向外人洩密，他也笑著應允了。

荆軻是衛國人，好讀書擊劍，嗜酒，不拘小節。上自賢豪長者，下至市井狗屠，無不結交。游於燕，與隱士田光及善擊筑（註二）的高漸離等友善。常在燕市飲酒。酒酣時高漸離擊筑，荆軻相和而歌，歌罷對泣，旁若無人。

田光往見荆軻，告訴他：燕太子尋求可以行「大事」的人，自以年老，「形已不逮」，因而「不自外」地在太子前稱說荆軻。希望他急速入宮往見太子。田光爲了激勵荆軻，並免被疑洩漏秘密，於是自刎而死。

荆軻往見太子，燕丹「膝行」、「頓首」地懇求他效春秋時曹沫劫齊桓公（註三）一般往劫秦王，逼他歸還所侵奪諸侯的土地。倘若不從，就刺殺秦王。這樣一來，秦國必亂。諸侯再乘機合縱攻秦，就不難破秦。荆軻初時不肯應命，禁不起燕丹固請，方慨然允諾。於是太子丹尊荆軻爲上卿，居於「上舍」，每日供以「太牢、異物、車騎、美女」，奉養無所不至。

未久，秦將王翦滅趙（西元前二二八年），屯軍中山以臨燕，燕人大恐。太子丹促荆軻赴秦行事，荆軻說：「不帶信物前往，必難獲見秦王。倘能持秦國逃將樊於期的首級與燕國督亢（註四）地圖往獻，秦王一定會喜而接見，這樣才有機會行事。」

秦將樊於期因得罪秦王而逃亡到燕國。鞠武曾勸太子丹遣他轉往匈奴，以免惹得秦王遷怒。但太子丹以爲樊於期途窮而託身於燕，不忍棄他不顧，因而一直留著他，當然更不忍傷害他的性命。

荆軻見太子心存不忍，就私自往見樊於期，對他說：「秦王的對待將軍，可謂是深仇大恨了。父母宗族都被誅戮，如今又聽說購求將軍的頭顱，懸賞黃金千斤，封萬戶侯。你有甚麼打算？」樊於期太息流涕問計。荆軻告訴他，若能得到他的頭去獻與秦王，乘機行刺，則「將軍之仇報而燕見陵之愧除」。樊於期說：「我爲此日夜切齒絞心，今天才有了報仇的途徑！」於是自刎而死。太子丹聞訊，奔往伏屍慟哭。既已無可如何，只得將樊於期的頭顱用匣子盛著。又求得一柄最鋒利的匕首，命工匠用藥焠煉。用來試人，見血立死。諸事都已齊備，遂遣荆軻出發並以勇士秦舞陽（註五）爲副使。

燕丹與眾人穿戴白色衣冠在易水（註六）之濱餞別。席上高漸離擊筑，荆軻等引吭高歌。歌辭有云：「風蕭蕭兮易水寒，壯士一去兮不復還！」聲到悲愴之處，滿座都淚下沾襟；到了慷慨激昂之處，又盡都瞋目髮指。於是荆軻等登車而去。

荆軻到達咸陽，先以千金爲贄，得到秦王跟前寵臣中庶子蒙嘉替他引見。秦王大喜，設置了盛大的「九賓」之禮接見燕使。荆軻捧著盛有樊於期頭的匣子，秦舞陽捧著地圖卷軸，依序而進。秦王命獻上地圖。於是荆軻從秦舞陽手中接過預藏匕首在其中的地圖卷軸，在秦王的案前展開來。「圖窮匕見」，荆軻乘勢左手拉著秦王的袍袖，右手握住匕首直刺秦王。刀尖尚未及身時，秦王驚起，掙斷衣袖，脫身繞柱而走。變起倉卒，群臣都不知所措。加以秦國之法，殿上臣僚，不得持有尺寸之兵。秦王的左右，只得以徒手與荊軻搏鬥。侍醫夏無且，則以所捧藥囊扑打荊軻。秦王乘機拔出所配長劍，砍斷荊軻的左股。荊軻坐地不能起，將匕首向秦王擲去，擊中銅柱。秦王再進前砍殺，荊軻身中八創，終爲秦王左右所殺。這件驚天動地的大事，發生在秦王政二十年（西元前二二七年）。

秦王大怒，增兵命王翦、辛勝等加緊攻燕，大破燕軍於易水之西。翌年，燕王喜退保遼東，並殺太子丹以向秦王謝罪。到了秦王政二十五年（西元前二二二年），秦王攻下遼東，虜燕王喜，燕亡。

秦滅六國之後，爲了洩忿，夷滅了荊軻的「七族」與他的同里（註七）。高漸離「變姓名，爲人庸保」。以善擊筑得入秦宮，在御前奏技。他將鉛塊暗置於筑中以扑擊秦始皇，不中，被誅。

【註釋】

註一　見本書第四四篇。

註二　筑是古代的一種絃樂器，狀似琴，以竹片敲擊。

註三　曹沫爲魯將，與齊戰，三戰三北，魯割地以和。其後齊桓公與魯莊公會盟於柯。曹沫在壇上以匕首劫桓公，得以盡復失地。事見史記刺客列傳。

註四　河北省涿縣舊有督亢坡，地連新城、固安二縣。

註　五　燕將秦開之孫，秦開以破匈奴聞名。

註　六　易水在燕國南境，源出今河北省易縣之西，東流至定興縣西南，與拒馬河合。

註　七　史記鄒陽傳有「荆軻之湛七族」之語；論衡語增篇云：「秦王誅軻九族，復滅其一里。」

註　八　見史記刺客列傳。

四四　呂不韋的「建國立君」與其喪身

周赧王四十八年（秦昭王四十年，西元前二六七年），秦國的「悼太子」死。兩年後，立次子安國君（名柱）爲太子。安國君的正夫人—華陽夫人—無所出，而有庶子二十餘人。諸子之中，有一個名叫異人的，爲質於趙。秦國諸庶孽子弟爲質於諸侯的，供費多不豐。秦國又屢侵趙，趙雖不敢加害於異人，但對他極爲冷淡，根本談不上甚麼禮遇。因此異人處境困窘，極不得意。

此時，有個陽翟（註一）地方的青年鉅商名叫呂不韋，貿易至趙。他在邯鄲見到異人，以爲這是「奇貨可居」。他將自已的雄圖告訴他父親，並說：「建國立君，澤可以遺世」（註二）於是往見異人，對他說：「我能使你光大門戶。」異人笑道：「你不去光大自己的門戶，郤要來光大我的！」呂不韋說：「這個你有所不知，正要等你的門戶光大了之後，我的門戶才大得起來哩！」異人一聽話內有因，連忙邀他密談。呂不韋說：「秦王已經年老了。太子安國君所最愛幸的是華陽夫人。而華陽夫人自已並沒有生育，也只有她才有權選立「嫡嗣」。目前你在眾多的兄弟之中，並不突出。又兼長時間在外為質，一旦大王薨逝，安國君繼位，以目前的情勢，太子的寶座是與你無緣的。」異人問：「為今之計，該怎麼辦？」不韋說：「你客居在此，手頭拮据，沒有財物可以奉獻尊親與結交賓客，這樣是不能成事的。我可以拿出千金相助，並替你西入秦國活動，使你得以立為嫡嗣，你看怎麼樣？」異人大喜，頓首說：「倘能如此，他日願與你共有秦國，同享富貴！」呂不韋隨即拿出五百金交給異人，以供結交賓客之需。另以五百金購買奇物玩好，攜往秦國。

他首先見到華陽夫人之姊（註三），經由她將寶物珍玩獻給華陽夫人。並極言異人賢智兼備，在趙國與諸侯賓客結好，交游遍天下，聲譽極高。又常自言視華陽夫人如天。他日夜思念太子與華陽夫人，至於泣下。華陽夫人聽了這些話，極為窩心。呂不韋又教華陽夫人之姊進言：「凡以色事人的，色衰則愛弛。你應該趁著寵愛在身的時候，選擇諸子中的賢孝者立為嫡嗣，當作親生。夫在時固可保持尊貴，夫歿後自已所立的子嗣為王，也不至於失勢。這才是萬全之計。倘不在此時早作打算，一旦色衰愛弛，雖想向君王進言，如何可得！目前為質於趙的公子異人，賢能而不很得意。夫人誠能提拔他，立為嫡嗣，那麼，他必定會感恩思源，夫人也就終身有靠，榮寵無窮了。」華陽夫人聽了這番說辭，深為心動。於是先在太子跟前誇贊異人「絕賢」。接著又涕泣言於太子：「妾不幸而無子，願得異人立以為嗣，以託妾身。」安國君應允，與華陽夫人刻玉符爲信，立異人爲嫡嗣並與厚賜，請呂不韋爲其「傅」。從此異人在趙，頓時身價百倍。

呂不韋有個美麗的妾，原是邯鄲的民女。異人見到了，非常喜歡她。呂不韋就將她贈給異人，生了一個兒子，名政（註四）。異人遂立這個趙姬爲夫人。

周赧王五十八年（秦昭王五十年，西元前二五七年），秦將王齮圍邯鄲急，趙人忿欲殺異人。異人與呂不韋以金六百斤向監守的吏卒行賄，得以逃赴秦軍。他的夫人與兒子嬴政，則藏匿在民間，也終於脫險。

異人回國後，依從呂不韋的主意，身穿「楚服」前往拜見華陽夫人。華陽夫人原是楚國人，一見更是高興，替他改名爲「楚」，以示親切愛重的意思。

秦昭王在位五十六年而死（西元前二五一年），太子柱繼立，是爲孝文王。華陽夫人晉爲王后，公子楚（異人）也順理成章地立爲太子。

孝文王只在位一年即卒，子楚繼立，是爲莊襄王。莊襄王並尊華陽夫人與生母夏姬兩人爲太后。任呂不韋爲丞相，封文信侯，以河南、洛陽（註五）之地爲其食邑，尊寵無比。

莊襄王在位三年而卒，年僅十三歲的太子政嗣立爲王（西元前二四六年），這就是日後的秦始皇。呂不韋除了仍爲丞相之外，並晉尊號爲「仲父」。

呂不韋貴盛之餘，也倣效「四公子」一樣地養士，門下食客也號稱「三千」之眾。不韋的賓客之中，不乏才學之士。不韋使他們著書，完成了一部「八覽、六論、十二紀，二十餘萬言（註六）」的集體創作，這就是今傳世的「呂氏春秋」。不韋自以爲此書「備天地萬物古今之事」，將書展布在咸陽市的城門邊，宣稱諸侯的游士、賓客有能增損一字的，給獎千金。可見他是如何地以此自豪！

秦王政即位之後，太后（趙姬）與呂不韋仍舊私通。不韋見秦王年事漸長，而太后糾纏不已，深恐招禍。於是求得「大陰人」嫪毒，僞作閹宦以進於太后，極得太后寵幸。太后爲了避眾人耳目，常居故都雍（在今陝西省鳳翔縣南）的離宮中，而以嫪毒自隨。嫪毒也異常貴寵，受封爲「長信侯」，門下「舍人」（門客）多至千餘人，家僮數千。

始皇九年（西元前二三八年），有人告發告嫪毒並不是閹人，常與太后私通，生有二子。始皇聞知後還沒有來得及採取行動，嫪毒已和他的黨徒矯太后璽發難。始皇發兵平定叛亂，夷嫪毒三族，殺其與太后所生二子。但以呂不韋功大，初不忍加誅，只是罷免他的相位，遣往河南就國。過了年餘，始皇見呂不韋多年來廣交天下諸侯賓客，終恐爲變，於是將他謫往蜀郡。不韋自度難逃誅戮，飲酖而死（始皇帝十二年，西元前二三五年），事在秦國統一中原的前十五年。

嫪毒之亂後，秦始皇初時遷太后於雍，不同她相見。後來有個齊人茅焦向秦王進言，遂迎太后復歸咸陽。

【註釋】

註一　陽翟就是「櫟」，原爲鄭邑，後入於韓。在今河南省禹縣。戰國策秦策五言不韋爲濮陽（今河南省滑縣東北）人。今從史記本傳。

註二　語見戰國策秦策五。

註三　此從史記本傳。戰國策秦策五言先求見秦王后之弟陽泉君。

註四　「以呂易嬴」的傳說，殊不足信，昔儒頗有辨之者。說詳史記志疑卷三十一。

註五　河南、洛陽之地就是秦所置「三川郡」。

註六　高誘序云：「凡十七萬三千五十四言」。

四五　秦滅六國

秦孝公用商鞅變法，國勢很快地就富强起來，首先收復了以前喪失於晉國的河西八城。（註一）其後歷經惠文王、武王、昭襄王、孝文王、莊襄王以至秦王政初年，百年（西元前三三七—二三八年）之間，秦國滅巴、蜀、義渠，各建爲郡（註二），又攻略六國，取楚之漢中、黔中、南郡、魏之上郡、河東、南陽，韓之上黨，趙之太原等郡；滅東、西二周，合韓之成皋、滎陽等地，建爲三川郡。此外，所攻略零星城邑尚多。事實上，到了秦王政即位的時候，統一中原的大業，已經進入水到渠成的階段了。

秦王政即位後十年（西元前二三七年），斥逐相國呂不韋而親政，以李斯爲相。採納大梁人尉繚的計謀，一方面以金帛財物，行賄於列國，離間其君臣；一方面遣將急攻六國。而燕、趙等國於亡在旦夕之際，仍互相爭戰不已。因此秦軍所到之處，勢如破竹。

六國最先滅亡的是韓國。秦王政十四年（西元前二三三年），韓王見秦軍攻趙甚急，懼而遣韓非使秦（註三），韓王並自請爲臣。三年之後（西元前二三〇年），秦王終於派內史騰攻韓，俘韓王安。盡收其餘地，置爲潁川郡，韓亡。

秦王政二十二年（西元前二二五年），秦將王賁伐魏，決黃河、大溝（其故瀆不詳）之水灌魏都大梁（今河南省開封市）。歷時三月，城潰，魏王假被俘。秦以所取魏國的餘地建爲碭郡（註四）。魏亡。

早在秦王政六年（楚考烈王二十年，西元前二四一年），楚國聯合諸侯伐秦，不利。楚東徙都壽春（今安徽省壽縣）。三年後（西元前二三八年），楚考烈王卒，子悍立，是爲幽王。李園殺春申君，專國政（註五）。經哀王而至王負芻。王負芻二年（西元前二二六年），秦伐楚，取十餘城。四年（西元前二二四年），秦既滅魏，又遣王翦大破楚軍於蘄（今安徽省宿縣），楚將項燕自殺（註六）。五年，王翦進破壽春，虜王負芻，以其餘地爲郡（註七）。楚亡。

趙國自從長平之戰後，元氣已經大衰。接著又數度與燕國拼鬥，更無喘息機會。秦王政十八年（西元前二二九年），秦將王翦、端和等攻趙，趙王遷派李牧、司馬尙率兵拒戰。秦人用鉅金買通趙王的寵臣郭開作反間。郭開言於趙王：「李牧、司馬尙欲反。」趙王信讒，殺李牧，廢司馬尙，而代以趙葱與齊將顏聚。三個月後，王翦攻破邯鄲，殺趙葱，顏聚逃去（註八），趙王遷被虜。時爲秦王政十九年（西元前二二八年）十月。邯鄲被攻破後，趙國一些逃出的大夫，擁立公子嘉於代，號稱代王。到了秦王政二十五年（西元前二二二年），秦將王賁於破燕之後，又攻入代，俘代王嘉。至此趙氏全滅。

秦軍在破邯鄲，虜趙王之後，屯兵中山以臨易水（在燕國的南境。源出今河北省易縣西），燕國危在旦夕。太子丹遣荆軻入秦行刺失敗（註九），王翦加緊攻燕。秦王政二十一年（西元前二二六年），秦軍拔燕都薊（今河北省大興縣西南），燕王喜逃往遼東（今遼寧省大凌河以東的地方），並斬太子丹首級獻給秦王。秦王政二十五年（西元前二二二年），秦又攻陷遼東，虜燕王喜，燕亡。

在秦軍陸續攻滅韓、魏、楚、趙、燕五國的期間，齊相后勝受了秦人的賄賂，力勸齊王建朝秦，不出兵援救五國，也不修攻戰之備。秦將王賁既滅燕，遂於秦王政二十六年（西元前二二一年）移軍南下，沒有受到任何抵抗，直入臨淄，齊王建出降。秦以其地建齊郡與琅琊郡。齊國也告覆亡。

秦王政共用了十年（西元前二三〇——二二一年）的時間，完成了中原的統一。從此「六王畢，四海一」，建立了中國歷史上第一個中央集權的君主專制王朝，秦王政也成爲中國歷史上第一個「皇帝」。他那「萬世傳之無窮」的夢想雖未能實現，但如果將「始皇帝」的稱號作另一種詮釋，卻是「名副其實」的。

【註釋】

註　一　大致在今山西省河津縣一帶。春秋時晉惠公獻於秦。秦穆公死後，秦國內亂，其地復歸於晉。

註　二　巴、蜀、隴西、北地等郡。

註　三　見本書第六四篇。

註　四　其地大致爲山東省濟寧、東平，河南省商邱，江蘇省碭山，安徽省亳縣等一帶。

註　五　見本書第四〇篇。

註　六　此從史記秦始皇本紀。楚世家云：「殺將軍項燕」。

註　七　史記楚世家云：「滅楚名爲楚郡」。但秦所置各郡並無「楚」、「荆」之名。集解引孫檢云：「以楚地爲三郡」。　案：這三郡的名稱當是南郡、九江、會稽。

註　八　此從史記趙世家。李牧傳與戰國策（趙策三）言顏聚被虜。

註　九　見本書第四三篇。

四六　郡縣制度的形成

人類由漁獵、畜牧而進入農耕生活後，才知道利用土地。但初時地曠人稀，到處可以墾殖，也無從產生土地私有的觀念。各部落之間，其恃強陵弱者，所掠奪的只不過是生活物資與人口，並無侵占土地的興趣。當弱者受侵逼到了無法忍受時，也可以遷地爲良，無須拼死守土。周人的祖先古公亶父，受狄人之侵，去邠而遷岐，就是一例。

到了後來，生口日蕃，而可耕的土地漸感不足，人才開始有重視土地的意念。而一個統治者只要占有土地，便不愁沒有供養他的子民。這就是封建制度之所由產生。

我國古代封建制度的成熟，在於周代武（西元前一一三四—一一一六年）、成（西元前一一一五—一〇七九年）兩王之際。所謂「周兼制天下，立七十一國，姬姓獨居五十三人」（註一），是指西周立國時新建的諸侯而言，合其所保留的原有方國，當遠過於此數（註二）。周初時「公侯皆方百里，伯七十里，子、男五十里」（註三）的分土雖未可深信，但其時除了原已立國於邊遠地區的楚、吳、越等國外，其他諸侯，占地必不甚廣。即使是天子的京畿，也不過號稱「方千里」而已。因此國君治下的地方行政區畫，實際上只有「邑」的一級。古文獻中所見的都、鄙、鄉、遂等名稱，恐怕都不是定制（註四）。大抵名「都」的，是人口較密，商業較盛的城市，其等級相當於「邑」（註五）。邑下的「聚」（註六），是一種鄉治單位，相當於後代的村鎮。至於「鄉」「黨」（註七），則大致與聚同等。

「縣」的名稱始見於春秋時代晉、楚等大國，多數是併滅他國（或大夫）的土地而設置。如：魯僖公三十三年（西元前六二七年），晉襄公以「先茅之縣」賞胥臣；宣公十一年，

（西元前五九八年），楚莊王縣陳；十五年，晉景公賞士伯以瓜衍之縣；昭公二十八年（西元前五一四年），魏獻子分祁氏之田爲七縣，羊舌氏之田爲三縣；哀公十七年（西元前四七八年），楚文王縣申、息。都見於左傳。

「郡」的行政區畫，春秋時代也已經有了。其地位低於縣，但卻未必隸屬於縣（註八）。只因其多設於邊陲，較爲荒涼，開發不足，又時有烽火之警，故等級較次於縣。

戰國時設置較早的郡，如秦國的隴西、北地，魏國的西河、上郡，燕國的上谷、漁陽、右北平、遼西、遼東等（註一〇），都是爲邊防而設置的軍事特別區。後來也有在內地設郡，以防鄰國入侵的。如：春申君言於楚頃襄王：「淮北地邊秦，其事急，請以爲郡。」又：「復取秦所拔我（楚）江旁十五邑以爲郡拒秦」（註一一），都是基於這種目的。

初時郡與縣各自獨立，並無隸屬關係。其區別在於縣只是單純的行政區域，而郡卻以軍事任務爲主。因此秦武王時甘茂說：「宜陽，大縣也，上黨、南陽積之久矣（註一二）。其名爲縣，其實郡也。今王倍數險，行千里而攻之，難矣！（註一三）」從這幾句話裡，可以看出當時郡之不同於縣，在於前者儲積多，兵力足，防衛力強。縣的長官稱爲「令」（註一四），郡的長官稱爲「守」。我們從字義上來看，也不難明瞭二者職責的差異──令者「治民」，守者「守土」。

郡守既掌管兵權，因也擔任其鄰近各縣的防務。不斷發展的結果，各縣的全般政令，就逐漸通歸其節制。大概這就是以郡統縣之所由起。

戰國時代，由於兼併的結果，列國的領土日廣。眾多的都邑，已非國君所能直接管理。於是除了國內少數「封君」的領地外，普遍設置郡、縣兩級行政區域（註一五）。等到秦一六國，「分天下以爲三十六郡」，郡縣制度，乃告確立。

【註釋】

註一　見荀子儒效篇。

註二　春秋、左傳中所見國名，共百七十國（見晉書地理志）。

註三　見孟子萬章下篇。

註四　周禮中的縣、遂、州、鄉等行政區畫，一如書中的其他各項制度，多屬一種理想的設計，並非實際所施行。學者已有定論。

註五　好比是現代縣與市之別。

註六　如周纖的「陽人聚」、「畢狐聚」等。

註七　如論語中的「互鄉」、「闕黨」等。

註八　逸周書與說文所謂「千里百縣，縣有四郡」的說法，缺乏其他佐證，未可遽信。

註九　左傳哀公二年（趙簡子曰）：「克敵者上大夫受縣，下大夫受郡」。

註一〇　均見史記匈奴列傳。

註一一　均見史記楚世家。

註一二　鮑彪注云：「二縣財賦歸之」。
註一三　見戰國策秦策。
註一四　楚國稱「尹」或「公」。
註一五　獨有齊國似乎始終未曾置郡。史料不足，難以確考。

四七　列國的水利工程

早自史前時代起，黃河一方面孕育了我中華民族的文化根苗，另一方面也經常帶來了泛濫之災。因而我先民的治水技術，也發展得很早。相傳西元前二千餘年前禹的「決九川，距四海」雖難免不有些誇張，但是他對於「濬畎澮，距川」（註一）的灌溉工程方面的貢獻，卻是可以深信不疑的。孔子對禹的「卑宮室而盡力乎溝洫」（註二）就曾贊揚不置。

春秋末年（魯哀公九年，西元前四八六年），吳國爲了北上爭霸在運輸上的需要，開鑿邗溝（又稱韓江）。起自邗邑（今江蘇省江都縣西北），貫通大江，向北經射陽湖（在今江蘇淮安縣東南），抵末口（大致在今淮安縣北）入於淮水（註三）。全長約一百五十公里。四年之後（西元前四八二年），吳國又將這道運河自淮水再向北延伸到下邳（今江蘇省邳縣東）而入於沂水（註四）。至此，這條縱貫長江與黃河兩大水系間，長達三百五十餘公里的人工

水道，乃告完成。而吳國卻在完成這樁空前偉大的水利工程之後未久，就被越國所滅。（註五）

進入戰國後，以防洪、灌溉等功能爲主的水利工程更不鮮見。茲分述如次。

㈠魏國河內的漳水水利工程

魏文侯（西元前四四六—三九七年）時，西門豹爲鄴（今河南省臨漳縣境）令，發民引漳水鑿十二渠，以灌溉魏國「河內」（黃河以北）地區的農田。因而這個地區穀物豐收，民富大增。（註六）

㈡秦國蜀郡的岷江水利工程

秦昭王（西元前三〇六年—二五一年）時，李冰（註七）爲蜀郡守。他精通天文、地理，見到岷江上游發源於叢山峻嶺之間，水流湍急，入成都平原後，常泛濫成災。於是他「壅江作堋，穿郫江、檢江，別支流雙過郡下」。他在岷江流經今灌縣處建築攔水壩與分水堤，將岷江分爲郫江（今又稱內江）與檢江（今又稱外江）兩大支流，都流經成都。既供灌溉，又行船舶。這就是有名的「都江堰」，又稱「犍尾堰」。

李冰又整治沫水（今名青衣水），文井江（今名邛水）、緜水（今名緜陽河）、雒水（此水源出四川省什邡縣西北，非河南之雒水）諸川。從此蜀郡「沃野千里，號爲陸海……不知飢饉，時無荒年，天下謂之天府」。（註八）

李冰築堰的方法是：「破竹作籠，圓徑三丈，長十丈。以石實之，累而壅水（註九）」。

這樣建築成的堤堰，堅牢能耐洪水的沖擊，不致崩潰。頗爲後世所取法。

㈢鴻溝

史記河渠書說：「榮陽下引河，東南爲鴻溝，以通宋、鄭、陳、蔡、曹、衛 ，與濟、汝、淮、泗會……于楚，則通鴻溝江淮之間。」鴻溝的開鑿，史籍缺少記載，其完成應該是在戰國時代。它北起榮澤（註一〇），向東南迤邐入於淮水。

鴻溝湮廢已久，其故道大致接近今日河南省境內的賈魯河（註一一）。

㈣黃河堤防

大規模的堤防工程，也始自戰國（註一二）。戰國時黃河的河道，其中、下游自大梁（今河南省開封市）以北起，折爲東北流向，流經趙、魏（西）與齊、宋（東）之間，出海口在渤海灣北部的燕、齊兩國接界處。「趙、魏瀕山，齊地卑下」。於是齊國首先在距河二十五里處築了一道長堤。當河水溢漲到長堤時，就受阻而倒灌到趙、魏兩國的境地。其後趙、魏也如法泡製，同樣在離河二十五里處修築堤防以相對抗。從此當洪水發生時，倒也能在寬達五十里的地帶間游蕩。「時至而去，則塡淤肥美，民耕田之……大水時至，則更起堤防以自救」。（註一三）。

堤防之法，雖不能徹底解決水患，但卻是人力所能及的有效治標方法之一。魏惠王時有個白圭（名丹），是出名的堤防專家。韓非極爲推崇他，有「白圭無水難（患）」之語（註一四）。雖然孟子當面譏嘲他「以鄰國爲壑（註一五）」，但是在那個諸侯力征的時代，「各以自利」的私心是理所當然的。我們實在不能獨以此深責白圭。

【註釋】

註一　以上引文見尚書益稷篇。

註二　見論語泰伯篇。

註三　見哀公九年左傳與杜注。

註四　見國語吳語。

註五　西元前四七三年越滅吳。

註六　見史記河渠書與滑稽列傳。但漢書溝洫志采呂氏春秋（樂成篇）之說，謂漳水的灌溉工程是魏襄王時鄴令史起所作。也可能是西門豹始作於前，史起繼成於後。就如左思魏賦所云：「西門溉其前，史起濯其後」。

註七　史記（河渠書）與漢書（溝洫志）都未說李冰是何時人。史記正義引應劭云「秦昭王（西元前三〇六—二五一年）時人」；華陽國志則云是孝文王（西元前二五〇年）時人。　案：秦孝文王在位只一年而卒。則二者之中，應以前說近是。

註八　引文見華陽國志蜀志。

註九　見李吉甫元和郡縣志。

註一〇　故澤在今河南省廣武縣南。自漢平帝以後，涸竭成爲陸地。見周禮夏官職方氏鄭注。

註一一　賈魯河源出滎陽，流經鄭縣、中牟、尉氏等縣，入於商水縣東北的沙河（南汝河上流）。尉氏縣境有鴻溝鄉、鴻溝亭等地名，見水經渠水注。

四八　列國的母后聽政

戰國後期，列國間產生了一種前所未見的政治現象，那就是「母后臨朝」。這種情況的發生，自有其特殊的時代背景。戰國時代的諸侯力征，愈演愈烈。到了中期以後，更是縱橫捭闔，風雲瞬息萬變。而列國的臣僚之中，又多外來的游士說客，其忠貞可靠的程度，往往令人難以充分信賴。因此每當遇到主幼國疑的情況之下，只得由幼主的母后出來主持大政，以求穩定局勢。同時戰國時代的教育機會，一方面既由貴族漸及於庶民，另一方面婦女的知識，也獲得了相當的開放。因此少數明達世務的后妃，也就有能力來擔當起持衡決策的大任。至於援引「外戚」作爲心腹，也是理所當然。以上所說的，就是戰國後期形成列國間母后垂簾聽政之風的重要主、客觀條件。

戰國時代諸臨朝的「太后」之中，其表現較爲突出，見於史籍的，約有以下數人。

㈠秦宣太后

秦武王（西元前三一〇—三〇七年）死（註一），無子，他的異母弟則（一名稷）繼立，是為昭襄王。昭襄王即位時年少（註二），由其生母羋氏操持政柄。羋氏，楚人，原是惠文王之妃，稱「羋八子」。昭襄王既立，母隨子貴，號稱宣太后。她當政後，罷免了甘茂的相位——甘茂奔齊——代以嚴君疾（即樗里疾）。繼又誅戮反對派的諸大臣與諸公子（註三）；逐武王后（魏女）歸魏；連惠文后（昭襄王的嫡母，應該是正牌的太后）也「不得良死」。（註四）

宣太后清除了異己之後，重用其「異父弟」魏冄（穰侯）與「同父弟」羋戎（華陽君）為左右手。此時，秦國在歷代的經營之下，國勢鼎盛。宣太后主政時，在軍事、外交各方面，都可說是無往不利：接連擊敗三晉、齊、楚；五國合縱攻秦（西元前二八四年），也無功而退；又誘騙楚懷王至秦，將他扣留（西元前二九九年），死於秦國；「兩周」之君，先後入朝於秦（註五）；又曾一度與齊國同時稱帝。（註六）

穰侯魏冄，兩度為相（註七），前後達二十九年之久，更是「貴極富溢（註八）」，連各國的諸侯，都畏懼他三分。

宣太后與魏冄等的失勢，起自范睢入秦。范睢說動秦昭襄王，奪宣太后的政權，收穰侯的相印，逐華陽君等於關（函谷關）外（註九），這時已是昭王即位後的四十一年（西元前二六六年）。翌年，宣太后即死。

宣太后一生，除了政治手腕不輸於鬚眉之外，其「風流」也極為秦漢間策士之所樂道。當周赧王十五年（西元前三〇〇年），楚攻韓，圍雍氏（今河南省禹縣東北）達五月之久。韓遣靳尙求救於秦。宣太后對靳尙說：「妾事先王也……先王盡置其身妾之上，而妾勿重也。何也？以其少有利焉……今救韓之危，日費千金，獨不可使妾少有利焉？（註一〇）」韓國來求救兵，宣太后儘管用暗示提出交換條件。但以「國母」之尊，竟至於對鄰國的使臣，說出這樣不雅的比喻，則恐怕是出於後人的渲染。又相傳當太后臨終前，出令以她所寵愛的近臣魏醜夫殉葬。幸得一個名叫庸芮的辯士解救了魏醜夫。他對太后說：「明知死者之無知矣，何為空以生之所愛，葬於無知之死人哉！若死者有知，先王積怒之日久矣。太后救過之不贍，何暇私魏醜夫乎！」（註一一）太后方醒悟，取消了自己的亂命。由這些傳說看來，宣太后的「不拘小節」，恐怕不會是全屬子虛了。

㈡趙惠文后

趙惠文王之后，史稱威后。從史籍上所記述有關於她的兩件事來看，確實不愧為一位賢后。

有一次齊王（當是襄王）遣使齎書問候威后（註一二）。她還未及拆開書信，先問使者說：「歲亦無恙耶？民亦無恙耶？王亦無恙耶？」使者有些不高興，怪他先問收成和庶民，最後才輪到齊王。難道「歲」與「民」比齊王還要尊貴？威后反問他說：「苟無歲，何以有民？苟無民，何以有君？」（註一三）像這樣義正詞嚴的話，出自於那樣舉世滔滔的時代中的一個女流之口，是何等的難能可貴！因此也可以推想到，趙惠文王在位的三十三年（西元前二九八—二六六年）之間，得力於這位賢內助的地方必定不少。

趙惠文王卒，太子丹立，是為孝成王，由威后主政。此時，平原君趙勝為相，廉頗、趙奢爲將，文武都堪稱得人。

趙孝成王元年（西元前二六五年），秦攻趙，連拔三城，其勢甚危。趙國遣使求救於齊，齊人要求以威太后的少子長安君爲質，方肯出兵。太后不答應，諸大臣强諫，太后怒告左右：「復言長安君爲質，老婦必唾其面！」正當大家一籌莫展的時候，一位官拜「左師」的老臣觸龍去見太后。這位步履蹣跚的衰翁先同太后互道老病之苦，繼又閑話家常，太后的餘怒這才慢慢平息了下來。然後觸龍向太后請求將自己的十五歲少子舒祺補爲宮廷的「黑衣侍衛」。太后在滿口答應之餘，又同觸龍互道「舐犢」之情。於是觸龍終於乘機向太后進言：列國的諸公子，多因「位尊而無功，奉厚而無勞」，以致不能長保富貴。今日不如讓長安君出質於齊，以紓國難。這樣才可以「自託於趙」，也才是愛之以道。威太后終於被這番說辭打動，「於是爲長安君約車百乘質於齊」（註一四）。齊國出兵，趙國的危機乃得以解除。

㈢齊君王后

齊「君王后」的出身頗具傳奇性。當燕將樂毅破齊，齊湣王爲楚將淖齒所殺（註一五）之後，湣王之子法章變姓名匿跡在莒邑太史嬓的家中爲傭。太史嬓有個女兒慧眼識英雄，看出法章不是個尋常人，於是常竊取家中的衣食周濟他，並與私通。待至淖齒被誅（註一六），法章方敢顯露身分。莒人立法章爲王，是爲齊襄王。未久，田單破燕軍，收復臨淄，乃迎襄王入臨淄（註一七）。齊襄王不負前盟，即位後立太史氏之女爲后，人稱「君王后」，生王建。太史嬓卻以女兒「無媒而嫁」，有辱門楣，終身不與她相見，但君王后始終不失子女之禮。

齊襄王卒（西元前二六五年），子建立爲齊王，由君王后聽政。她頗能知人善任，在外交方面，則「事秦謹，與諸侯信」。因此齊國雖在破敗之餘，倒也能得到暫時的安定。

王建十六年（西元前二四九年），君王后卒，王建親政。王建闇弱無能，委政於其相后勝（註一八）。而后勝接受了秦國的賄賂，力勸王建朝秦，又不修攻戰之備，更不助五國抗秦，終於在五國次第爲秦所併呑之後，秦軍直入臨淄，王建也樹起了降旗。

㈣其他

戰國時代列國中其他臨朝的母后，尙有宋國的某太后（註一九）與韓國的釐王后（註二〇）等。但史闕有間，都無事跡可考。

【註釋】

註　一　秦武王「有力好戲」，與力士舉鼎絕臏（一作脉）而死。見史記秦本紀。

註　二　秦本紀云：「昭襄王三年，王冠。」古者，天子、諸侯十二而冠。則昭王即位時年方九歲。

註　三　史記六國表秦昭王二年云：「季君爲亂，誅。」秦本紀昭王二年云：「庶長壯與大臣、諸公子爲逆，皆誅。」季君與庶長壯或爲同一人。

註　四　以上均見史記秦本紀。

註　五　東周君朝秦在昭襄王十七年（西元前二九〇年），見秦本紀。昭襄王二十九年，秦本紀只云「周君來」。參照戰國策西周策，則此次當爲西周君。

註　六　齊稱「東帝」，秦稱「西帝」，事在西元前二八八年。

註　七　第一次爲秦昭王十二年至二十四年（西元前二九五—二八三年），第二次在昭王二十六年至四十一年（西元前二八一—二六六年）。

註　八　語見史記穰侯列傳。

註　九　見本書第二九篇。

註一〇　見戰國策韓策二。

註一一　見戰國策秦策二。

註一二　威后疑是齊女。

註一三　見戰國策齊策四。

註一四　見戰國策趙策四。

註一五　見本書第二六篇。

註一六　淖齒爲少年王孫賈所殺。見戰國策齊策六。

註一七　見本書第二七篇。

註一八　戰國策齊策六云：「及君王后病且卒，誡建曰：群臣之可用者某。建曰：請書之。君王后曰：善。取筆牘受言，君王后曰：老婦已忘矣！」

註一九　戰國策宋衛策有云：「（宋）君不可奪太后之事，則公常用宋矣。」不知是何時何太后。

註二〇　史記魏世家云：「無忌（戰國策魏策三訛作朱己）謂魏王曰：今韓氏以一女子奉一弱主，內有大亂，外交彊秦、魏之兵，王以爲不亡乎？」　案：此時韓國爲桓惠王在位，則所言「女子」應該是指桓惠王之母釐王后。

四九　戰國諸子事略之一——墨翟

墨翟（註一），魯國人（一說宋人）。他大致出生於孔子的晚年或更後，卒於孟子出生前的十餘年（西元前四八〇？——三九〇？年）（註二）。墨子少時曾受業於孔門，學儒家之術。但他不滿於儒家的「禮繁」，又病於儒家的主張「厚葬」、「久服」。以爲這些作法徒然「靡財而貧民，傷生而害事（註三）。」因此「背周道而用夏政」，自創學派，鼓吹「兼愛」、「節用」、「非攻」、「非禮」、「非樂」等主張，效法禹「沐雨櫛風，形勞天下」的刻苦精神。墨子與他的門徒，都「以裘褐爲衣，以跂蹻爲服，日夜不休，以自苦爲極」（註四）。雖以孟子排墨之激烈，仍不得不承認墨家「摩頂放踵，利天下爲之（註五）」的堅苦卓絕的表現。戰國之世的學術界，儒、墨兩家同稱「顯學」。墨子在中年以前，就已「徒屬弟子，充滿天下（註六）」，與他的前輩子夏、曾子等分庭抗禮，同爲當代大師。

楚惠王（西元前四八八——四三二年）連滅蔡（西元四四七年）、杞（西元前四四五年）兩國後，領土擴充到了泗水流域，於是北進窺宋。魯公輸般替楚設計製造了攻城的利器——雲梯，勢在必得。

墨子知道了這事，從齊國（註七）步行十日十夜，「足重繭而不休息，裂裳裹足」，趕到了楚都郢，與公輸般相見，力勸他不要助楚攻宋。墨子說：「荆國有餘於地而不足於民，殺不足而爭所餘，不可謂知；宋無罪而攻之不可謂仁。」他又與公輸般同往見楚王，「解帶爲城，以牒（小木札）爲械」，在楚王面前演習攻守之戰。公輸「九設攻城之機變」，墨子「九距（拒）之」。公輸般攻城的器械已經用盡，而墨子守禦之策還綽綽有餘。但公輸般仍不肯服輸，表示自有辦法對付墨子。墨子對楚王說：「公輸般最後的詭計，不過是要大王殺了我，使宋國無助而已。我早已派遣弟子禽滑釐等三百餘人，準備好守城的器械，在宋國的都城上等候楚軍到來。大王就是殺了我，也不會攻下宋國。」楚王只得知難而退，中止了攻宋的計畫。

其後，墨子獻書於楚王，楚王讀後，讚爲「良書」。但是卻只表示「樂養賢人」，而沒有用他行道的意思，於是墨子回到魯國。

墨子的弟子公尙過遊越，在越王（註八）的面前稱揚他的業師。越王聽到後非常高興，就派公尙過「束車五十乘，以迎墨子於魯」，並答應「裂故吳之地五百里」以封墨子。墨子問公尙過：「依你的觀察，越王能夠聽從我的主張，讓我行道否？」公尙過回答：「恐怕不能夠。」墨子說：「倘使越王能夠讓我行道，那我就會前往。並且量腹而食，度身而衣，受群臣一樣的待遇。要封土幹甚麼？若是爲了貪圖富貴而去到越國，那就等於是出賣道義了。同樣是出賣，也要在中國賣，何必賣到越國去！」（註九）墨子之去就不苟，於此可見。

墨子曾爲宋國的大夫（註一〇），受讒而被囚（註一一），旋獲釋返魯。

魯國受到齊國的威逼，魯君（疑即穆公）問計於墨子。墨子勸魯君「尊天事鬼，愛利百姓，厚爲皮幣，卑辭令，亟徧禮四鄰諸侯，驅國以事」，則「齊患可救」。除此之外，也別無他法（註一二）。

齊康公（西元前四〇四—三八七年）初年，墨子遊齊。此時，齊國實際上已全在田和的掌握中，康公隨時可能被廢。齊國將伐魯，墨子對齊將項子牛說，伐魯是齊國的大過。他並舉出從前吳王夫差與晉卿智伯都好攻伐，「以國爲虛戾」。以至「諸侯報其讎，百姓苦其勞」，終於自食其惡果，「身爲刑戮」。墨子又力諫田和說，「并國覆軍，賊殺百姓」，是不祥的事。但他並沒有能夠勸止田和（註一三）。

墨家的信徒，多半都是大無畏的勇士，「皆可使赴火蹈刃，死不旋踵」（註一四）。而且他們組織嚴密，富有服從的精神。他們的領袖，稱爲「鉅子」（或作「巨子」），由學行卓絕的墨徒擔任，先後傳承（註一五）。

今傳世的「墨子」五十三篇（註一六），大抵是墨翟的門徒與其後學者所記述。

【註釋】

註　一　舊說都云墨子姓墨名翟（童書業與顧頡剛合著「墨之姓氏考」，以爲墨氏是宋公子目夷之後。　案：通志氏族略引應劭云：宋大夫有墨夷須、墨夷臯；又史記伯夷列傳索隱引應劭云：孤竹國之君姓墨胎氏。）。錢穆先生主清末人江瑔「讀子巵言」之說，以爲墨翟非姓墨，墨乃刑徒之稱，轉而成爲道術之稱。說詳先秦諸子繫年考辨第三二。

註 二 此從錢穆先生「墨子生卒年考」——先秦諸子繫年考辨第三一。

註 三 見淮南子要略。

註 四 見莊子天下篇。

註 五 見孟子盡心上篇。

註 六 墨子止楚攻宋時，年當不過四十（說見秦諸子繫年考辨第四二），就已有弟子三百人助宋國守城。

註 七 此從墨子公輸篇。呂氏春秋（愛類篇）與淮南子（脩務訓）均云自魯往。

註 八 這個越王應該是朱句（西元前四四八—四一二年）。

註 九 本段大致依據孫詒讓「墨子傳略。」

註一〇 見史記孟荀列傳。

註一一 史記鄒陽列傳云：「宋信子罕之計而囚墨翟」。但篡宋的司城子罕（見本書第二三篇），晚於墨子甚多，應不相及。

註一二 見墨子魯問篇。

註一三 史記六國年表周安王十七年（西元前三八五年）齊欄：「我（齊）伐魯，破之。」可能就是這次戰爭。

註一四 見淮南子泰族訓。

註一五　見莊子天下篇與呂氏春秋上德篇。

註一六　漢書藝文志著錄七十一篇。

五〇　戰國諸子事略之二—列禦寇

列禦寇（又作圄寇，或圉寇），戰國初（註一）的鄭國人。他師事壺丘子林與老商氏（註二），學黃老道家之術。居住在圃田（鄭邑，故城在今河南省中牟縣西）地方，不與國君、卿大夫往來（註三）。

列子窮困，面有飢色。有人對鄭相子陽說：「列禦寇是個有道之士。今居住在相君的國中而任他貧窮如此，相君未免太不尊賢好士了。」子陽聽說，就派人送米給列子。列子見到使者，再拜固辭不受。使者離去後，他的妻子埋怨道：「我聽說人家作爲一個有道者的妻室兒女，都能夠生活得安逸快樂。做你的妻子卻要挨餓。現在好不容易相君送了米來，你竟拒不接受。我爲甚麼會這樣命苦呢！」列子笑道：「相君自已並不知道我，今日聽了別人的話送米來給我，那麼，將來也很可能會聽別人的話而加罪於我。這就是我不接受他的餽贈之故。」

鄭子陽的爲人，「剛毅而好罰，其於罪也，執而無赦」。列子認爲這樣的人，難以相交，因而婉謝了他的周濟。到後來，子陽果然由於過分苛嚴而死於他的「舍人」（家臣）之手（註四）。就這件事我們也不難看出列子取捨不苟的風格與明哲保身的智慧。

列子的弟子很多（註五）。戰國時一般的游說之士，也頗有治其學術的（註六）。由此也可以約略窺見黃老無爲而治的學說，漸變而開刑名法術之端的跡象。

今傳世的「列子」書八篇，是經過漢劉向之手編訂過的。其中頗有後人掇拾而成的文字。縱非僞書，也不能信其全出於列子所自著。

【註釋】

註一　漢書古今人表，將列禦寇排列在韓景侯（西元前四〇八—四〇〇年）與魏武侯（西元前三九五—三七〇年）之間。

註二　見列子天瑞、黃帝、仲尼、說符等篇。

註三　列子天瑞篇云：「子列子居鄭圃，四十無識者。國君卿大夫眎之，猶衆庶也。」

註四　事見莊子讓王，呂氏春秋首時、淮南子氾論訓等篇。所述互有詳略。史記六國表與鄭世家云，子陽爲鄭繻公所殺，與此異。

註五　列子仲尼篇有列子偕弟子四十人同往見南郭子的事。天瑞、黃帝等篇中，也多記有其弟子質疑問難的對話。

註六　戰國策韓策一，史疾答楚王云：「治列子圉寇之言」。

五一　戰國諸子事略之三——楊朱

楊朱的事跡，可考的極少。列子書中的楊朱篇，載其言論，大致可采。至於其仲尼等篇與莊子應帝王、山木等篇（註一）中所述有關楊朱的軼事，卻恐怕是以寓言的成分居多。他的年輩，大致略前於孟軻（註二）。

他曾往見魏王（惠王？），說：「治天下如運諸掌。」魏王笑他「有一妻一妾而不能治，三畝之園而不能芸」，卻侈言治天下這般容易。他辯稱：一個五尺童子，拿一根鞭子就可以驅策百數的羊群，要東就東，要西就西。倘使讓堯牽著一隻羊，使舜拿著鞭子在後面趕，就反而趕不動了。最後楊朱又說：「治大者不治細，成大功者不成小」（註三）。

楊朱嚮往於「太古之人，知生之暫來，死之暫往」，他認爲「萬物齊生齊死，齊賢齊愚，齊貴齊賤。」因此他的人生觀是：「且趣當生，奚遑死後？」（註四）

楊朱與魏人季梁（註五）友善。季梁病歿，楊朱「望其門而歌（註六）」。這在旁人都視爲是怪誕的行爲，而他自已卻認爲生死是理之常，沒有甚麼可悲的。

世人對楊朱「爲我」之義常有誤解，以爲「拔一毛而利天下不爲」是極端的自私。實則楊氏的說法是：「古之人，損一毫利天下，不與也；悉天下以奉一身，不取也。人人不損一毫，人人不利天下，天下治矣。」（註七）他這就是本於老子「無爲而治」的復古思想。

孟子書中，常將楊、墨兩家背道而馳的學術思想並舉。而且說：「楊朱、墨翟之言盈天下。天下之言，不歸楊，則歸墨。」（註八）若不是孟子危言聳聽，那麼，在戰國中後期的思想界，楊朱的學說不但曾經風行過一時，而且「允執厥中」的儒術，也曾受到它與墨學的兩面夾攻了。

【註釋】

註一　莊子書中稱作「陽子居」。學者多信爲就是楊朱。

註二　錢穆先生推定其生卒年爲西元前三九五—三三五年，見先秦諸子繫年附諸子生卒年世約數表。

註三　見列子楊朱篇與說苑政理篇。

註四　見列子楊朱篇。

註五　曾力諫魏王攻邯鄲，見戰國策魏策四。

註六　見列子仲尼篇。

註七　見列子楊朱篇。

註八　見孟子滕文公下篇。

五二　戰國諸子事略之四──申不害

申不害，京（註一）人。曾在鄭國充當小吏（註二），精刑名之術，韓昭侯用他爲相（註三）。

周顯王十五年（西元前三五四年），趙伐衛，魏進圍趙都邯鄲以救衛。韓昭侯問申不害：「我應該站在那一邊，助趙或是助魏？」申不害初事韓君，還沒有摸清楚他的意向，唯恐說出意見會碰釘子。他回答說：「這是關係國家安危的大事，容我深思熟慮後再向吾君報告。」他私底下去對趙卓、韓鼂兩個策士說：「你們兩位都是國之辯士。在這個關鍵時刻，必須有所表現。爲人臣的，豈能望其言出必用？只是竭智盡忠而已。」兩人聽說，都去向韓侯獻策。韓侯對他們的建議，也有表示同意的，也有存疑的，也有不以爲然的。申不害既得以探知韓侯的好惡，於是就迎合韓侯的心意提出了自已的建議。昭侯聽了，非常滿意（註四）。

申不害自己雖靠著窺探君上的意向以獲得韓侯的重用與信任，他卻教韓侯馭下，要以「無爲」使臣下莫測自已的高深，在另一方面，自已卻能夠以靜待動，洞悉臣下的眞僞（註五）。

韓昭侯將這一套領導統御的絕招學得很到家，也確實收到了相當的實效。「吏以昭侯爲明察，皆悚懼其所，不敢爲非」（註六）。

申不害相韓十五年中，吏治雖尙淸明，但並沒有建立甚麼功業（註七）。所著「申子」二篇（註八），今其書已佚，只在韓非子等書尙可見到引述的一些片段。

【註釋】

註一　故邑在今河南省滎陽縣東南。原屬鄭國，韓滅鄭後歸韓。

註二　史記本傳云：「故鄭之賤臣」。

註三　申不害相韓的期間大致爲自西元前三五五年至三四一年。

註四　事見戰國策韓策一。

註五　申子有云：「上明見（現，下同），人備之；其不明見，人惑之。其知見，人飾之；其不知見，人匿之。其無欲見，人司之；其有欲見，人餌之。故曰，吾無從知之。惟無爲可以規（窺）之。」見韓非子外儲說右上篇引述。

註六　見韓非子內儲說上七術篇。

註七　史記本傳云：「終申子之身，國治兵彊，無侵韓者。」其言過實。索隱引王劭云：「韓昭侯之世，兵寇屢侵，異乎此言。」錢穆先生從各書所引古本竹書紀年，也證明此一時期「韓爲魏弱」。見先秦諸子繫年考辨第七七。

註八　史記本傳索隱云：「今人間有上、下二篇，又有中書六篇」。

五三　戰國諸子事略之五—孟軻

孟子名軻（註一），鄒人（註二）。他的先世原是魯國公族孟孫氏之後（註三）。少時受業於子思的門人，治儒家之術，長於詩、書。學成後初遊仕於齊國（註四）。旋去齊至宋。其時，滕文公（註五）爲世子，將往朝於楚，路經宋國，慕名往見孟子。孟子向他講說「性善」的理論與堯舜的治道。滕文公在回程中，再往會見孟子。孟子又告訴他：滕國雖小，倘勉力於治道，仍然可以成爲一個「善國」。滕文公聆教後，受到很深刻的印象。

未久，孟子又離開宋國，過薛（註六），返鄒。此時，滕定公卒，文公使其傅然友赴鄒問喪禮。孟子告以古禮「三年之喪，齊疏之服，飦粥之食」（註七）。滕文公遵禮行事，大獲弔喪者的讚揚（註八）。

這年（西元前三二三年？）冬天，文公禮聘孟子至滕，諮詢爲國之道。孟子向滕文公建議了幾項重要的施政：

㈠重民（農）事。
㈡恭儉禮下。
㈢振興庠序學校，以明人倫。

㈣正經界，行井田──「方里而井，井九百畝。中為公田，八家皆私百畝，同養公田」。

㈤實施「助」、「貢」並行的稅制──「野九一而助，國中什一使自賦」（郊野行井田制，由八家助耕公田。都邑中不分井，但有溝洫，由耕者按收穫量十分之一自行繳納）。

孟子又慰勉滕文公說：滕國雖褊小不足以「王」，但他日「有王者起，必來取法，是為王者師也。」滕文公從善如流，都照孟子的構想開始實施。於是有遠從楚、宋等國來歸的賢者，願在這位行「聖人之政」的賢君治下為「氓」（移民）（註九）。

孟子之去滕遊梁（魏），大致當梁惠王的晚年（西元前三二〇年或稍前）。孟子初見惠王，力陳「後義先利」的禍害。而惠王所耿耿於懷的，卻是以「東敗於齊，西喪地於秦七百里，南辱於楚」為恨。急切地問孟子如何而後可以一洗此奇恥大辱。孟子答以：「仁者無敵……王如施仁政於民，省刑罰，薄稅斂，深耕而易耨……修其孝悌忠信，可使制梃以撻秦、楚之堅甲利兵（註一〇）」。這番說辭當然不是梁惠王所聽得進去的。

未久，梁惠王卒，子襄王立。孟子見他「望之不似人君，就之而不見所畏」，乃萌去志。

這時侯，齊威王卒，宣王新立，禮賢好士。於是孟子再度赴齊，齊宣王任他為客卿。孟子盛道唐虞三代之德，以仁政王道為理想。因此急功好利的齊宣王雖對他優禮備至，但並不能重用他（註一一）。

齊宣王好「文學游說之士」，稷下學士多達千人。一時淳于髡、田駢、環淵等名士，都聚於臨淄，受「列大夫」的俸祿，「開第康莊，高門大屋」，「不治而議論」（註一二）。「滑稽多辯」的淳于髡屢與孟子辯難，孟子一一據理反駁，義正辭嚴（註一三）。

燕王噲讓國之禍（註一四），齊宣王將欲乘亂伐燕。齊臣沈同私下問孟子燕可伐否，孟子回答說：「可以。燕王噲不該以君位私自授與子之，子之也不該私自從王噲手中接受君位。授受雙方都不能無罪。」接著齊宣王就派章子（註一五）率「五都之兵，因北地之眾」攻燕國。當時有誤傳孟子勸齊王伐燕的（註一六），孟子闢謠說：「沈同私下問我燕可伐否，我就回答說可以。倘若他進一步問誰可以興兵討伐時，我就會告訴他，只有「天吏」—像商湯、周武那樣的弔民伐罪之師—才有德去討伐。今日齊的伐燕，以暴易暴，等於是以燕伐燕，我怎麼會勸他去這樣做！」齊人占領燕國之後，燕人不服，諸侯又謀伐齊救燕，齊宣王大恐，向孟子請教善後之策。孟子教他趕快下令送還俘獲的燕人，停止掠奪寶物祭器，與燕國的臣民協商重立新君，然後撤軍。這樣還來得及補救。齊宣王被迫只得仍讓燕人復國。

孟子在齊，建言多得不到齊王的聽納。道既不行，年事已高，於是決心致仕。齊宣王想以「萬鍾」的厚祿，挽他留居國中授徒，並作諸大夫國人的「矜式」，孟子也毅然謝絕了。孟子去齊之後，隱居在休邑（註一七），不再出仕。卒時年約八十餘歲（西元前三九〇？—三〇五？年）。傳世的孟子七篇（二六一章），大概是他的門徒萬章、公孫丑等所記述。（註一八）

【註釋】

註　一　史記、漢書都未言孟子的字。趙岐孟子題辭也說「字則未聞」。後世所傳的字「子車」、「子居」、「子輿」等，其出處恐都有問題。

註　二　漢書地理志，魯國騶（通鄒）縣原注云：「故邾國」。趙岐孟子題辭云：「鄒本春秋邾子之國。至孟子時，改曰鄒矣。國近魯，後爲魯所幷。又言，邾爲楚所幷，非魯也。今鄒縣是也。」元程復心「孟子年譜」以爲：孟子之鄒爲魯邑，與邾國改稱之鄒名同而實異。其說不知何據。

註　三　依趙岐孟子題辭。

註　四　當爲齊威王時。

註　五　滕國故地爲今山東滕縣。滕文公爲定公之子。「孟子」趙岐注云：「滕侯，周文王之後也。古紀世本錄諸侯之世，滕國有考公麇，與文公之父定公相直。其子元公宏，與文公相直。以後世避諱，改考公爲定公。以元公行文德，故謂之文公也。」

註　六　即後來齊國靖郭君田嬰的封邑，在今山東省滕縣東南。

註　七　三年之喪實際爲二十五個月（見春秋公羊傳閔公二年與荀子禮論篇）。喪服用粗麻布，下邊加縫綴，這就叫「齊衰」。喪禮中食粥，既葬然後蔬食。

註　八　見孟子滕文公上篇。

註　九　同注八。

註一〇　見孟子梁惠王上篇。

註一一　孟子兩度游齊，其間適梁。說詳先秦諸子繫年考辨第九八。

註一二　見本書第八篇。

註一三　見孟子離婁上與告子下各篇。

註一四　見本書第一四篇。

註一五　章子之稱數見於戰國策齊策一、齊策六、趙策四、燕策一與呂氏春秋處方篇等。當就是孟子滕文公下篇、離婁下篇所述的匡章。說詳先秦諸子繫年考辨第九四。

註一六　史記燕世家也採孟子勸齊王伐燕之說。

註一七　故城在今山東省滕縣西北。閻若璩釋地云：「距孟子家約百里」。

註一八　本篇孟子的生卒年代與其遊仕先後，俱依據先秦諸子繫年考辨一書。

五四　戰國諸子事略之六——白圭

白圭名丹（圭是他的字），周人。他擅長於貨殖。經營策略與管理方法都高人一等：「樂觀時變，人棄我取，人取我與……趨時若猛獸鷙鳥之發。」他又刻苦耐勞，與手下的職工打成一片：「薄飲食，忍嗜欲，節衣服，與用事僮僕同苦樂。」他自豪地將自己治生產的本領，比作伊尹、呂尚的謀略，孫武、吳起的用兵，商鞅的行法。

白圭也是個防洪工程專家，尤其是對堤防修護保養的技術，更是高明（註一）。他曾向孟子自詡說：「丹之治水也，愈於禹。」孟子駁斥他說：禹的治水是順著水性，疏導它向下流洩，「以四海爲壑」。現在你的作法是壅塞它，使它泛濫到別處，「以鄰國爲壑」，怎能和禹的治水相比！當然，孟子凡事都是放眼天下，對於白圭這種區域性防洪的作法與成果，是不會感到滿意的。白圭又問孟子：「吾欲二十而取一（指稅法），何如？」孟子回答說：「你的想法可以說是胡貉之道。堯舜之道是什一而稅。超過什一的賦稅，是夏桀的暴政。低於什一的賦稅，就國用不足，不能建立城郭宮室，不能舉行祭享之禮，不能設置百官有司。也就是說，人倫沒有了，士大夫也沒有了，這豈不是變成胡貉之邦了！（註二）」

白圭曾在魏惠王時爲相（註三）。其後惠施遊魏，受到魏王的信重，於是取代了白圭的相位（註四）。

白圭又曾游於中山與齊國，都未久旋即離去。他說：凡國有「五盡」，沒有不滅亡的。所謂「五盡」是，「莫之必，則信盡矣；莫之譽，則名盡矣；莫之愛，則親盡矣；行者無糧，居者無食，則財盡矣；不能用人，又不能自用，則功盡矣。」今日中山與齊國都有這樣的情形，恐怕不久就難逃覆亡的命運了（註五）。後來果然都言中。沒有多久，中山亡於趙（西元前二九六年）；齊湣王也國破身死（西元前二八四年）。

白圭也曾游仕於秦，但不很得志（註六）。

在戰國眾多的游士之中，若論具有相當的實學與實幹精神，同時也重視政治倫理的，無疑地白圭很能算得上一個。他較一般只憑機智與舌辯功夫以苟取富貴的縱橫家之流，要高出得多了。

【註釋】

註一　韓非子喻老篇云：「千丈之堤以螻蟻敗……白圭之行堤也，塞其穴。是以白圭無水難。」

註二　以上二事見孟子告子下篇。

註三　史記貨殖列傳將白圭與盡地利之教的李克連稱。鄒陽列傳中，其上書又以樂羊的事蹟誤作白圭。遂致後世的學者，誤以爲白圭是魏文侯時人。也有疑戰國前後有兩個白圭的。詳先秦諸子繫年考辨第八二。

註四　白圭與惠施的不相容，大略見於呂氏春秋不屈，應言等篇。

註五　見呂氏春秋先識覽。

註六　戰國策魏策四有白圭告新城君（即華陽君羋戎）語；燕策二也說「白圭逃於秦」。

五五　戰國諸子事略之七——莊周

莊子名周，宋國蒙（又稱蒙澤，今河南省商邱縣東北）人。大致與孟子同時或略後。他早年曾在故鄉作過管理漆園的小吏（註一）。「其學無所不闚（窺），然其要本歸於老子之言」（註二）。而且他的思想，較老子更爲消極而流於頹廢。這可能是他對於當代諸侯力征，崇尙功利的一種極端的反動。他認爲生死、窮達、貧富、得失、毀譽等相對的人事，不過是「事之變，命之行」，都可以等量齊觀。我們應當超脫曠達，追求個人充分的精神自由，達到與天地萬物渾然一體的理想境地。因此，他鄙棄一切的社會禮俗與政治施爲。

楚威王（西元前三三九—三二九年）慕賢，派兩位大夫前往禮聘他作高官。莊子不顧。他不願效三千年的神龜，死而「藏之廟堂之上」，寧肯「生而曳尾於泥中」（註三）。

莊周與他的朋友惠施（註四），交誼很厚而志趣大相逕庭。兩人時相辯難，論調總是背道而馳（註五）。

由於莊子是個遺世獨立的隱逸者，因此他很少離開故鄉蒙邑。遊蹤所至，大致不過宋、魏之間（註六）。他的事蹟流傳到後世的也很少。「莊子」書中的敍事，更是「寓言十九」，不能視爲史實。

今行世的莊子三十三篇，又稱南華經（註七）。學者多認爲其「內篇」，可信爲莊周自作，其餘「外篇」與「雜篇」，則恐多出於其門徒或後學者所撰述。

【註釋】

註　一　史記本傳云：「嘗爲蒙漆園吏」。正義引括地志云：「漆園故城在曹州寃句縣（今山東省菏澤縣）北十七里」。又，今河南省商邱縣東北與安徽省定遠縣境內也有漆園的地名，都相傳是莊周爲吏之處。　案

：「漆園」應該是以種植漆樹而得名。莊周爲吏之處，以商邱縣東北的爲近是。

註 二 見史記本傳。

註 三 見莊子秋水篇。

註 四 惠施曾爲魏相。是公孫衍與張儀的政敵，見於戰國策。

註 五 見於莊子逍遙篇、德充符、秋水等篇。

註 六 見先秦諸子繫年考辨第八八。

註 七 李唐崇奉道教，依託老、莊。玄宗天寶元年，詔改「莊子」爲「南華眞經」。

五六 戰國諸子事略之八——惠施

惠施，宋人。他是戰國時代的名家。博學多才，能言善辯（註一）。與莊周友善，而道不相同。

魏惠王（西元前三七〇——三一九年）時，惠施爲相。其時，魏遭馬陵之敗（註二），惠王恨齊入骨，謀於惠施，想要起舉國之兵以伐齊雪恥。惠施以爲不可，反勸惠王「變服折節」而朝齊。以爲這樣一來，楚王見了眼紅，必怒而伐齊。以戰力充沛的楚軍去攻擊疲敝的齊軍，齊必不支。借楚國之力來摧毀齊國，這才是上策。

魏王依計，透過齊國執政的靖郭君田嬰（孟嘗君之父）而朝齊至於再三。

以前齊國慫恿越國侵楚（註三），楚已恨齊。今又見齊國的氣燄太甚，更不順眼。於是楚威王派兵進攻齊國的徐州（今山東剡城縣西南），大敗齊軍（註四）。

惠施輔魏的政策，向來是和於齊、楚以圖「按兵」。魏惠王後元十三年（西元前三二二年），張儀自秦至魏。他主張改與秦、韓聯合而攻齊、楚。魏國的群臣多數贊同張儀的策略。於是魏惠王採納張儀的建議並用他爲相。惠施被逼去魏赴楚。

楚懷王不敢容留惠施而得罪張儀。因惠施本是宋人，而宋王偃也向來器重他，於是以禮資送他至宋（註五）。

惠施留宋未久而魏惠王卒，襄王立（西元前三一八年）。張儀歸秦，而惠施也重返於魏。魏、趙、韓、楚、燕五國攻秦之役（西元前三一八年），不勝。魏使惠施至楚，合楚國向秦請和（註六）。後四年（西元前三一四年），齊破燕。惠施又銜魏王之命使趙，聯趙伐齊以存燕（註七）。

惠施前後仕魏近二十年。大約即終老於魏國。

【註釋】

註一　莊子天下篇云：「惠施多方，其書五車……不辭而應，不慮而對……說而不休，多而無已。」

註二　見本書第一一篇。

註　三　見本書第一八篇。
註　四　事在西元三三三年。見戰國策魏策二與史記田齊世家。
註　五　見戰國策楚策三與魏策一。
註　六　見戰國策楚策三。
註　七　見戰國策趙策三。

五七　戰國諸子事略之九──淳于髡

淳于髡，齊人。雖出身賤爲「贅壻」（註一），「長不滿七尺」（註二），但「博聞彊記」，兼之「滑稽多辯」。因此能夠成爲早期的「稷下」（註三）高賢之一。從他受學的弟子爲數不少（註四）。

齊威王即位之初，「好爲淫樂長夜之飲，沈湎不治」，以致「百官荒亂，諸侯並侵」。這樣地過了三年之久，威王的左右，沒有一個敢進諫的。淳于髡用隱語對威王說：「國中有大鳥，止於王庭。三年不飛，又不鳴。王知此何鳥也？」威王回答說：「此鳥不飛則已，一飛沖天；不鳴則已，一鳴驚人。」於是立刻召見「諸縣令長」，賞功罰罪，大加整飭。然後「奮兵而出，諸侯震驚」，國勢立刻振作起來（註五）。

齊威王八年（西元前三四九年），楚國發兵侵齊。齊王派淳于髡前往趙國求救。趙王出「精兵十萬，革車千乘」救齊。楚國聽到消息，罷兵而去（註六）。

淳于髡曾經遊魏，魏惠王與他接談之下，「三日三夜無倦」，要給他以「卿相之位」，淳于髡固辭不受。於是魏王「送以安車駕駟，束帛加璧，黃金百鎰」。禮遇無比的隆盛。（註七）

淳于髡雖然「終身不仕」，而歷經齊威、宣兩王，坐朝論道，常以詼諧的言辭規諫國君的缺失（註八）。又勤於薦舉賢能之士，以為國用（註九）。

淳于髡的為人，很有些玩世不恭。齊宣王時，孟子為卿，憤於「言不用，道不行」而致仕。淳于髡譏諷他位居三卿，「名實未加於上下」（意思是聲名、事功兩無所成。上未能正其君，下未能濟其民）而遽然求去，未免有虧於「仁者」的行徑。淳于髡又說，古來「賢者無益於國」，況且當世並無夠得上稱「賢者」的，「有則髡必識之」。這些言語，面對著一個志切於經世濟民，以「平治天下，舍我其誰」自負的孟子說出來，當然是十分刺耳的。這也難怪孟子會氣憤地說「君子之所為，眾人固不識」了（註一〇）。

【註釋】

註　一　古代的「贅壻」，其實就是家奴。參閱清俞正燮癸巳存稿卷七「巫兒事證」條與先秦諸子繫年考辨第一八附淳于髡為人家奴考。

註　二　周尺與公尺的比例爲一：〇．二三〇八八六四（見楊寬中國歷代尺度考）。周制七尺相當於一六一．六公分。
註　三　見本書第八篇。
註　四　太平寰宇記卷十九引史記云：「髡死，諸弟子三千人爲縗絰」（今本無此）。其語容或有誇大之處。
註　五　見史記滑稽列傳。
註　六　同前註。
註　七　見史記孟荀列傳。
註　八　其事見於史記孟荀、滑稽兩傳。
註　九　戰國策齊策三云：「淳于髡一日而見七士於宣王」。
註一〇　淳于髡與孟子的對話見於孟子告子下篇。

五八　戰國諸子事略之十──慎到、田駢、接子、環淵

史記孟荀列傳敘述齊國的「稷下先生」，中有慎到、田駢、接子、環淵等人，只說是「皆學黃老之術，因發明序其指意」。有關諸人的事蹟，則幾乎是一片空白。

慎到，趙人。一說就是孟子書中（註一）所述魯國曾欲用爲將軍的慎子滑釐（註二）。漢書

藝文志法家（註三）著錄愼子四十二篇。今存一卷，是後人輯逸編成。

田駢，齊人。由於他好談論，言辭像天空一樣的遼闊而不可窮盡，因此當時的人給了他一個「天口駢」的綽號（註四）。當齊湣王末年，稷下諸賢星散。田駢曾往薛，作孟嘗君的門客。漢書藝文志道家著錄田子二十五篇，今佚。

接子，失其名，齊人。漢書古今人表有「捷」子，應該是同一個人（註五）。他的年世大致與愼到、田駢等相近。漢書藝文志著錄接子二篇，今佚。

環淵，楚人。一說就是楚懷王時的范環（又作范蜎）（註六）。其遊稷下，大致在齊宣王末年或湣王時（註七）。

【註釋】

註一　告子下篇。

註二　說詳先秦諸子繫年考辨第一三七。

註三　戰國較早的法家，原出於黃老。

註四　見漢書藝文志班固自注。

註五　捷、接兩字古相通。

註六　見戰國策楚策一與史記甘茂傳。

註七　見先秦諸子繫年考辨第一四六。

五九　戰國諸子事略之十一—荀況

荀況（註一），趙人。年十五，遊學於齊（註二）。其時約當齊威王的晚年（註三）。隨後荀卿至燕，燕王噲不能用（註四），重返於於齊，與愼到、接子、田駢等，同爲「稷下先生」。歷齊宣王以至湣王，爲時甚久（註五）。

齊湣王既滅宋（事在西元前二八六年），「矜功不休百姓」。稷下諸賢進諫不從，遂紛紛散去。荀卿至楚（註六），爲蘭陵（故城在今山東省嶧縣東）令（註七）。

齊湣王終因驕蹇失德，爲燕將樂毅率領諸侯聯軍擊敗，國破身死。後來幸得田單復國。齊襄王即位，重修稷下列大夫之禮（註八），荀卿遂三度至齊。此時，昔日分散的田駢等人，多已先後逝世。稷下以荀卿「最爲老師」（註九）。

齊襄王卒（西元前二六五年）後，稷下養賢之禮又衰，荀卿去齊適秦，見秦昭王。此時昭王正用范睢爲相，銳意於攻略關東諸侯，因此他對荀子說：「儒者無益於人之國。」荀子以孔子爲魯司寇的治績，以及閑居闕黨時，闕里子弟所受到的德化爲證，强調「儒者在本朝則政美，在下位則美俗」。荀子又說：「其（指儒者）爲上也，志意定乎內，禮節脩乎朝，法則度量正乎官，忠信愛利形乎下……近者謳歌而樂之，遠者竭蹶而趨之。四海之內若一家，通達之屬莫不從服……如此，何謂其無益於人之國也。」於是昭王稱善（註一〇）。范雎問荀子「入秦何見」，荀子首先盛讚秦國的「固塞形勢」，「天材之利」，風俗的古樸，百吏的「恭儉忠信」，士大夫的「明通無私」，朝廷的「決百事不留，恬然如無治」。有了這些合乎「古」道的優點，故能「四世（自秦孝公至昭王）有勝」。然而秦國終於不及古「王者之功名」，這是由於「無儒」的緣故。他的結論是：「粹（純用儒術）而王，駁（雜）而霸，無一焉而亡（註一一）」。他的這一番道理，對於急功好利的應侯范雎而言，當然是聽不入耳的。

荀卿遊秦既不得志，乃去而赴趙。曾與臨武君（註一二）論兵於趙孝成王（西元前二六五—二四五年）前，臨武君以爲「用兵之要術」，只在於「上得天時，下得地利。觀敵之變動，後之發，先之至」。荀子不以爲然。他說：用兵攻戰之本，首在於「壹民」（使人民親附）。「仁人之兵……百將一心，三軍同力……延則若邪之長刃，嬰（攖）之者斷；兌（銳）則若莫邪之利鋒，當之者潰」。荀子又極言當代齊國的「技擊」，魏國的「武卒」，秦國的「銳志」，雖都號稱善戰的精兵，但實際上只是「干賞蹈利之兵，傭徒鬻賣之道」。倘若遇到了「隆禮貴義」的「王者之兵」，就猶如「以錐刀墮太山」，勝負立見。孝成王與臨武君聞言，十分折服。又問「爲將」之道，荀子提出了所謂「六術」、「五權」、「三至」、「五無」的原則。大意是：號令威嚴，刑賞必信，營壘周固，進退安重疾速，明瞭敵情，判別利害，慮事精熟，敬愼不怠等要項。末了，他更强調「不屠城」，「不潛軍（不偷襲）」，

「不留眾（不長久暴師於外）」，「師不越時」（不廢農時？）等用兵的守則。荀子的一番談話（註一三），雖以臨武君的一代名將，聽了也不得不心悅誠服地點頭稱善。

荀子歸趙後，已經年邁，大約就終老於趙。荀卿「善爲詩禮易春秋」。相傳儒家的經典，多出於他的傳授（註一四）。韓非、李斯等都出其門。荀子有遺書三十二篇傳世。其內容廣及於哲學、教育、政治、軍事等論文與文藝作品（註一五），由此可以窺見其學術的博大與精深。

【註釋】

註一　舊籍多稱他爲荀卿，又稱孫卿。「卿」大概是尊稱；改「荀」作「孫」是避漢宣帝諱。

註二　史記本傳作「年五十，始來游學於齊」。應劭風俗通義窮通篇與晁公武郡齋讀書志引劉向荀子序都作「年十五」。應以年十五爲合理，學者已有定論。「游學」是說來齊從學於稷下的前輩。

註三　大致在西元前三二五年或稍後。說見先諸子繫年考辨第一〇三。

註四　韓非子難三篇云：「燕王噲賢子之而非荀卿，故身死爲僇」。

註五　大約自西元前三一九年至前二八五年。

註六　見桓寬鹽鐵論論儒篇。

註七　史記本傳云：「春申君以爲蘭陵令。春申君死而荀卿廢，因家蘭陵……卒，因葬蘭陵。」這段敘述並不可信。荀子爲蘭陵令不會遲到春申君爲相後，更沒有終老於蘭陵的可能。說詳先秦諸子繫年考辨第一四〇。

註 八 見本書第八、二六、二七等各篇。

註 九 見史記本傳。

註一〇 見荀子儒效篇。

註一一 以上見荀子彊國篇。

註一二 錢穆先生以爲就是破殺燕將劇辛的龐煖。說見先秦諸子繫年考辨第一五七。

註一三 見荀子議兵篇。

註一四 詳清汪中荀子通論一文。

註一五 荀子中有「成相」（漢書藝文志謂之「成相雜辭」）、「賦」兩篇。

六〇 戰國諸子事略之十二——鄒衍、鄒奭

鄒衍，齊人。大致出生在齊宣王末年（註一），是後期的「稷下先生」之一（註二）。他的學術，本於儒家而首倡「陰陽消息」、「五行始終」、「五德轉移」之說。他的治學方法，是「先驗小物，推而大之，至於無垠」。例如：他的「大九州說」，以爲儒家所謂的「中國」或「天下」，又稱爲「赤縣」、「神州」的，實際上只居天下的八十一分之一。中國之外

，另有八個大小相若的「州」，連同中國共爲九州，有裨海（小海）環繞在外圍，自成一區。天下像這樣的「大九州」共有九個，更有「大瀛海」環繞著。「大瀛海」之外，就是天地的邊際了。這種對於世界空間的新觀念，遠超過了當時一般人的想像之外，因而被視爲「怪迂之變」，「閎大不經」，給他取了一個綽號叫作「談天衍」（註三）。

鄒衍曾游仕於燕，燕惠王（西元前二七八—二七二年）聽信左右的讒言，將他繫獄（註四）。後來仍歸於齊。

齊王建（西元前二六四—二二一年）立，鄒衍自齊奉使至趙。平原君以殊禮相迎，至於「側行襒席」。其時公孫龍（註五）在趙，聲譽正隆，鄒衍批駁他的「白馬非馬」論調，以爲「煩文」、「飾辭」、「巧辯」的紛爭，「不能無害君子」。平原君服膺於他的這番議論，從此公孫龍被絀（註六）。

鄒衍著書極富，漢書藝文志陰陽家著錄鄒子四十九篇與「鄒子始終」五十六篇。今都已失傳，只偶見於先儒所引述的一鱗半爪（註七）。

鄒奭的年輩，略晚於鄒衍。他修治鄒衍的學術，而加以闡明發揚。由於他潤飾鄒衍之說，有如雕鏤龍文，因此當時齊人稱他爲「雕龍奭」（註八）。著有鄒奭子十二篇，今佚。

【註釋】

註　一　其出生略前於西元前三〇一年。說見先秦諸子繫年考辨第一四四與通表三。

註　二　當齊襄王初年。

註　三　以上見史記孟荀列傳。

註　四　昭明文選卷三十九李善注引淮南子云：「鄒衍盡忠於燕惠王，惠王信譖而繫之，鄒子仰天而哭。正夏而天爲之降霜。」太平御覽四也引述了這一節。

註　五　見本書第六一篇。

註　六　見史記平原君列傳與集解引劉向別錄。

註　七　史記孟荀列傳云：「鄒衍至梁，梁惠王郊迎；至趙，平原君側行襒席；至燕，昭王擁篲先驅。」實際上鄒衍的年世，不但遠在梁惠王歿後，也不及見燕昭王。說詳先秦諸子繫年考辨第一四四。

註　八　見史記孟荀列傳。

六一　戰國諸子事略之十三──公孫龍

公孫龍（註一），趙人。他的年輩略晚於惠施（註二），兩人同爲戰國的「名學」大師。公孫龍的學術淵源大致本於孔子的「正名」與墨子的「兼愛」、「非攻」，尤以過人的機智與辯才著稱。

燕昭王破齊（西元前二八四年）後，公孫龍遊燕，勸昭王「偃兵」。昭王雖口頭上稱善，但始終沒有納言的誠意（註三）。後來趙惠文王向公孫龍表示，十年以來，曾經嘗試「偃兵」，但苦於不能如願。公孫龍回答說：「偃兵之舉，一定要出於兼愛之心。不可徒務虛名而無實。如今大王西失地於秦，就縞素示哀；向東攻齊得地，就加膳置酒慶祝，這不是兼愛之道，因此偃兵不能成事（註四）。」

公孫龍在平原君趙勝家爲客，與孔子的六世孫孔穿（字子高）就「白馬非馬」（註五）、「臧三耳」（註六）等命題展開辯論，互不相下。後來平原君對公孫龍說：「你別再跟孔子高辯論了。他的爲人理勝於辭，你卻辭勝於理。辭勝於理的最後必定遭到挫敗。」（註七）

秦攻趙，圍邯鄲。平原君使人向魏求救，信陵君奪晉鄙軍來救，邯鄲得以轉危爲安（西元前二五七年）（註八）。虞卿（註九）向趙王請求增加平原君的封地以酬功，趙王也答應了。公孫龍往見平原君說：「您以前並沒有覆軍殺將的戰功，只因爲國君的親族而受封於東武城（今山東省武城縣西），配相印。現在紓解了一次國難，又要增加封地，這樣會使趙國有功的豪傑之士感到不平。我看您還是不接受的好。」平原君聽了，深以爲然，於是辭謝了益封（註一〇）。

公孫龍居平原君家甚久，平原君特別厚待他。後來鄒衍（註一一）自齊至趙，平原君介紹他與公孫龍及其弟子綦毋子等相見。當場又提起了「白馬非馬」等論題。鄒衍說：「辯論的目的在於區別不同的事物，提出不同的見解，表達個人的意見。結果要使勝利的一方不致失去自己的立場，失敗的一方也要得到他所尋求的眞理，這樣的辯論才有價值。至於用繁雜、粉飾、隱晦的言詞來移轉討論的中心，牽引對方離開辯論的主題，使對方掌握不住自己的本意，這種辯論就有害於大道，是君子之所不爲的。」（註一二）一番話抨擊得公孫龍理絀辭窮，從此平原君對公孫龍就疏遠了。

漢書藝文志名家著錄公孫龍子十四篇，今存六篇。六篇之中，其首篇「跡府第一」開頭就說：「公孫龍，六國時辯士也」，顯然是後人的口氣。較可信爲他所自作的，實際只存五篇，共約二千餘字。

【註釋】

註一　孔子的弟子之中，另有一個公孫龍。見史記仲尼弟子列傳。

註二　錢穆先生推定公孫龍的生卒年代是西元前三二〇年—二五〇年。見先秦諸子繫年通表第三。

註三　見呂氏春秋應言篇。

註四　見呂氏春秋審應篇。

註五　公孫龍「白馬論」的主要論點是：「馬者，所以命形也；白者，所以命色也。命色者非命形也，故曰：白馬非馬」。「求馬，黃、黑馬皆可致；求白馬，黃、黑馬不可致。」

註六　呂氏春秋淫辭篇作「臧三牙」，孔叢子公孫龍篇作「臧三耳」。應以孔叢子爲是。呂氏春秋恐是因字形相似而誤。臧就是「臧獲」，奴僕之稱。公孫龍的說法大致是：奴僕有兩隻耳朵是其外形。另外還有「聽言從令」的功能，卻是一隻無形的耳。合起來就成爲「三耳」。

註　七　見呂氏春秋淫辭篇。
註　八　見本書第三五篇。
註　九　見本書第三一篇。
註一〇　見戰國策趙策三與史記平原君列傳。
註一一　見本書第六〇篇。
註一二　見史記平原君列傳集解引劉向別錄。鄒衍的話又見於韓詩外傳卷六。

六二　戰國諸子事略之十四——魏牟

魏牟是中山國（註一）的賢公子，因此也稱爲中山公子牟。他雅好道家之術，崇尙「莊子之言」。同時又與公孫龍友善，服膺於他的名辯之說（註二）。

魏牟曾西遊於秦（註三），爲應侯張祿（范睢）的上賓。臨別時向應侯贈言，陳說前代的人物，每於富貴驕奢之餘，敗亡常不期而至的歷史教訓。應侯此時，雖正握持秦國的政柄，權傾諸侯，聽了這番言語，也不得不爲之動容。

魏牟又曾在趙孝成王（西元前二六五——二四五年）面前，直言：治國不得其人，則「社稷爲虛戾，先王不血食」。他指出趙王不該寵信佞臣「建信君」（註五），讓他治國。他說：

「當年先王（趙惠文王）有犀首公孫衍爲相（註六），馬服君趙奢爲將，以與秦國角逐，因此秦人不得不避其鋒。今天大王以建信君與强秦對壘，恐怕難逃挫敗的命運（註七）。」

從這些軼事，可見魏牟爲人的正直不阿以及他的見重於當時的諸侯卿相。（註八）

漢書藝文志道家著錄「公子牟」四篇，今佚。

【註釋】

註　一　魏文侯滅中山（就是春秋時的鮮虞），封給他的少子摯。見本書第四篇。魏屬中山後亡於趙國，見本書第二二篇。

註　二　見莊子秋水篇、讓王篇與列子仲尼篇。

註　三　當在中山亡於趙後。

註　四　見戰國策趙策三。

註　五　建信君失其名，不見於史記趙世家等篇而數見於戰國策趙策三。他是趙孝成王時的倖臣。初主合縱，後又與秦相呂不韋勾結。爲了想達到與秦連横的目的而以趙兵爲秦的內應。

註　六　公孫衍行趙、魏、燕三國相事，見史記陳軫列傳。

註　七　見戰國策趙策三。

註　八　莊子讓王篇云：「魏牟，萬乘之公子也。其隱巖穴也，難於爲布衣之士。雖未至乎道，可謂有其意矣。」可說對魏牟的評價頗高。

六三　戰國諸子事略之十五—屈原

屈原又名平（註一），是楚國的王族（註二）。楚懷王時充任「左徒」（註三）的官職，「入則與王圖議國事以出號令，出則接待賓客，應對諸侯」，極得懷王的信任。上官大夫靳尙，是懷王跟前的寵臣，與屈原同列，妒忌屈原的才能。他進讒言說：「大王每令屈原起草一篇文告，屈原總是對外炫耀說，除了他再沒有別人寫得出來。」懷王聽了，怒而疏遠屈原。屈原自以「正道直行，竭忠盡智以事君」，卻遭受佞臣的毀謗，無以自明。心裡充滿了「憂愁幽思」，寫了一篇題爲「離騷」的辭賦以寄託自己的悲哀。

楚懷王一再受到秦國間諜張儀的播弄，使得齊國由一個楚國的「盟邦」一變而成「敵國」。不但得不到秦國應許的「商於之地六百里」，反因戰敗而失去了漢中。於是楚懷王忿而向秦國表示，不要求歸還失地，「願得張儀而甘心」。既得張儀，又中他的詭計，聽信靳尙與寵姬鄭袖的話而縱虎歸山（註四）。這時屈原從齊國奉使歸來，知道已經放回了張儀，對楚王說：「怎麼不殺了他！」楚王後悔不及。

屈原使齊歸國後，曾出爲「三閭大夫」（註五），居於漢北地區。他心懷郢都，「流涕太息」，情辭見於他所作的「九章」等篇中。

楚懷王二十八年（西元前三〇一年），齊、魏、韓等國的聯軍攻破了楚國的方城（今河南省葉縣南），殺楚將唐昧。魏、韓兩國共分楚國宛、葉（今河南省南陽縣一帶）以北的土地。這時，秦昭王又向楚王示好，表示願與楚國結為婚姻，並邀懷王入秦會盟。屈原力諫，說：「秦，虎狼之國，不可信，不如無行。」但懷王的幼子子蘭，力勸懷王前往，說：「奈何絕秦歡！」懷王終於應邀前往，一進武關，就被秦國的伏兵遮斷後路，將他挾為人質，要求割地。懷王不許，羈死於秦（註六）。屈原痛惜懷王始終不悟，不聽從他的忠諫，以至釀成這樣的悲劇。他內心的悲憤之情，無法抑制，終於「懷石」自投汨羅江（今湖南省湘陰縣北）而死。死時年約四十五歲（西元前三四三——二九九？年）（註七）。

屈原傳世的作品，有離騷、九歌、天問、九章、遠遊、卜居、漁父等七篇（註八）。是我國古代繼詩三百篇以後的文學瑰寶（註九）。

【註釋】

註　一　史記本傳云：「屈原者，名平」。則「原」或是他的字。

註　二　楚國的屈、景、昭三姓，都是王族。

註　三　大概是職司言諫、薦舉的官，略如唐代的左右拾遺、補闕等。

註　四　見本書第二〇篇。

註　五　「三閭」是楚國的邑名，就是春秋以來的「三戶」。說詳先秦諸子繫年考辨第一二七。

註　六　見本書第二〇篇。

註　七　依先秦諸子繫年附通表三。

註　八　除離騷篇經歷來學者公認爲屈原所作無疑外，其他各篇，尚有爭議。

註　九　西漢劉向輯屈原與其弟子宋玉、景差之作，並下及漢代賈誼等家的續作，編爲「楚辭」。其後東漢王逸又有增輯。

六四　戰國諸子事略之十六——韓非

韓非是韓國的公子，爲人口吃，拙於言辭而長於寫作。與李斯一同師事荀卿，但兩人都主刑名法術之學。

韓非生當戰國末世，眼見韓國日益削弱，危在旦夕，數度上書給韓王安（西元二三八—二三〇年），力陳「脩明法制，求人任賢」之道。他認爲：今日事急，所當祿養的，應該是足以折衝禦侮的「介冑之士」而不是「名譽之人」。尤其是朝中的眾臣，往往「廉直」不容於「邪枉」，更是可悲的現象。韓王對他的忠言，並不以爲意。韓非在悲憤之餘，著作了孤憤、五蠹、內儲說、外儲說、說林、說難等篇共有十餘萬言，以發抒自己的胸臆與理念。這就是傳世的韓非子一書中的主要部分。書傳到了秦國，秦王（始皇）讀了後極爲讚賞，說：

「寡人得見此人，與之遊，死不恨矣！」

韓王安五年（西元前二三四年），秦國攻趙甚急，眼見得接著就要舉兵伐韓。韓王大懼，既知秦王早已「心儀」韓非，就派韓非使秦，以求緩兵。

韓非至秦，秦王留住他。韓非向秦王上書說：「韓事秦三十餘年……與郡縣無異」。而且伐韓未易驟舉，秦國反成了諸侯的眾矢之的（註一）。他勸秦王專力伐趙而存韓。這時，呂不韋竄死，李斯用事於秦。李斯對秦王說：「秦之有韓，若人之有心腹之病……韓雖臣於秦，未嘗不為秦疾。」李斯又說韓非「辯說屬辭，飾非詐謀，以釣利於秦，而以韓利闚（窺）陛下。」（註二）秦王因而不聽韓非的建議。

秦國有個游士叫作姚賈，為秦王出使，消弭了齊、楚、燕、代四國聯合攻秦的兵事。秦王大喜，以千戶封給姚賈，位為上卿。韓非對秦王說：「姚賈是監門卒的兒子，出身微賤，在魏國犯過盜竊罪，後來在趙國為臣，又犯事而被逐。這種人不可令他參預社稷大計。」秦王將韓非的話轉告姚賈。姚賈一面為自己辯白，要秦王「察其為己用，可以存社稷者，雖有外誹不聽。雖有高士之名，無咫尺之功者不賞」。（註三）姚賈又向秦王進言：「韓非是韓國的公子，他只會為韓國的利益打算，絕沒有為秦國之理。今大王既要兼併諸侯，留他是個禍根。」於是秦王將韓非下獄。韓非想要向秦王自陳剖白，但無由得見。最後逼得在獄中自殺。傳說毒藥是李斯送給他的（註四）。

今傳世的韓非子五十五篇，不全是韓非所自作，其中如初見秦、存韓等篇，都顯然有後人所增入的部分。

【註釋】

註一　韓非子存韓篇有云：「則秦必爲天下兵質矣。」清王先愼集解引顧廣圻云：「質，如字，射的也」。

註二　以上略見於存韓篇。

註三　見戰國策秦策五。

註四　以上略見於史記本傳。

六五　戰國諸子事略之十七─公輸般

公輸般（又作「班」，墨子書中作「盤」）是魯國的巧匠，因而後世又稱他爲「魯班」。他的年世大致上自春秋末，下逮戰國初，與墨翟同時。

公輸般在少年時代，就展露了他在機械設計上的天才。魯卿季康子喪母，「大斂」的時候，年紀小小的公輸般就提供了他所設計的一種機械用來封棺。但爲一般守舊拘禮的士大夫們所反對，因而未曾採用（註一）。

越國併滅吳國（西元前四七三年）之後，楚惠王（西元前四八八─四三二年）也先後滅了蔡（西元前四四七年）與杞（西元前四四五年），向東拓土到了「泗上」（在今蘇北一帶）。楚、越兩國領土相接，在江、淮之間，不斷發生戰爭。越人在水戰方面本來長於楚人，更兼楚方居於上游，得利時順流而下，前進過於快速而不易節制。到了失利退卻時，又由於是逆水行舟，無法迅速脫離戰場。越人卻是「迎流而進，順流而退」。因此楚軍常為越軍所敗。

公輸般到了楚國，替楚人製作了一種長柄帶叉與鉤，叫作「鉤拒」（註二）的裝備。敵舟前進時，就撐住它，使它無法接近；敵舟退卻時，就鉤住它，使它無法逃脫。從此，楚國的水軍，一變而由劣勢轉為優勢，每戰必勝。

楚國準備伐宋，公輸般又替楚國設計了「雲梯」（註三）等的攻城利器，勢在必克。後來卻被主張「非攻」的墨翟所阻而罷兵（註四）。

相傳公輸般「削木以為鵲，成而飛之，三日不下」（註五）。又說，「魯班為母作木車馬，木人御者，機關俱備。載母其上，一驅不還」（註六）。這類近乎神話的誇大傳說，當然不足相信。

【註釋】

註一　禮記檀弓下篇云：「季康子母死，公輸若（「若」是公輸般的字，說見先秦諸子繫年考辨第四一。）方小。歛，般請以機封……弗果從。」

註　二　見墨子魯問篇，墨子書作「鉤強」。太平御覽引述作「鉤拒」，辭義較爲明確。
註　三　「雲梯」又稱「樓櫓」。構木以爲高架，用以窺探或俯攻城中的守軍。
註　四　見本書第四九篇。
註　五　見墨子魯問篇。王充論衡儒增篇作「刻木爲鳶」。
註　六　見論衡儒增篇。

六六　戰國諸子事略之十八—扁鵲

扁鵲姓秦，名越人，齊國鄭邑（今河北省任邱縣北）人。少時充當某客館的「舍長」（旅舍的管理員）。客舍裡住有一個名叫「長桑君」的奇人，傳授了很多的「禁方」與診斷的學術給扁鵲。

扁鵲學成後行醫於齊、趙兩國之間。本來春秋、戰國時代的醫術，已經進步到外科方面，能夠做到「割皮解肌」，「漱滌五藏（臟）」；在內科方面，也已經通行「切脈」、「望色」、「聽聲」、「寫形」等診斷方法。但由於扁鵲的醫術特別高明，當時一般人竟把他神化起來，說他吃了長桑君的奇藥，能夠「盡見五藏（臟），特以診脈爲名」。又說他能夠使死人復生。他分辯說：「越人非能生死人也，越人能使之起耳。」

扁鵲的聲名聞於天下，是個「全科醫師」。他在各地行醫，常視當地所需而「隨俗而變」。他曾在邯鄲做「帶下醫」（婦科），在洛陽做「耳目痺醫」（耳科與眼科），在咸陽做「小兒醫」（小兒科）。

他在秦國行醫時，爲秦國的太醫令李醯所忌，使人暗殺了他（註一）。

【註釋】

註一 史記本傳說，扁鵲曾替虢太子、趙簡子與齊桓侯等人醫病。戰國策秦策二又有「扁鵲見秦武王」一篇。案：虢國在西元前六五八年亡於晉，趙簡子立於西元前五一六年，田齊桓公立於西元前三八三年。首尾相距二百六十五年之久。至於秦武王在位的年世，爲西元前三一〇—三〇七年，其時更晚。扁鵲的年壽，不可能如此之高。恐怕是春秋、戰國時代的名醫，以扁鵲爲名的不止一人，遂致混淆—相傳黃帝時就早有一個名叫扁鵲的名醫。見史記正義引「黃帝八十一難序」。

（附錄）

戰國大事年表

西元前	周	秦	魏	韓	趙	楚	燕	齊	大事
四〇三	威烈王二三	簡公一二	文侯四四	景侯六	烈侯六	聲王五	簡公一二	（康公）二	魏、韓、趙始列爲諸侯。
四〇二	二四	一三	四五	七	七	六	一三	三	盜殺楚聲王。
四〇一	安王元	一四	四六	八	八	悼王元	一四	四	秦伐魏，至陽狐。
四〇〇	二	一五	四七	九	九	二	一五	五	鄭伐韓，圍陽翟。三晉伐楚，至乘丘。
三九九	三	惠公元	四八	烈侯元	一〇	三	一六	六	楚歸還榆關於鄭。
三九八	四	二	四九	二	一一	四	一七	七	鄭殺其相駟子陽。

西元前	周	秦	魏	韓	趙	楚	燕	齊	大事
三九七	五	三	五〇	三	一二	五	一八	八	聶政刺殺韓相俠累。
三九六	六	四	武侯元	四	一三	六	一九	九	鄭相子陽的黨徒弒鄭繻公。
三九五	七	五	二	五	一四	七	二〇	一〇	秦伐緜諸。
三九四	八	六	三	六	五	八	二一	一一	負黍（西元前四〇七年鄭取於韓）反歸於韓。
三九三	九	七	四	七	一六	九	二二	一二	楚伐韓，取負黍。
三九二	一〇	八	五	八	一七	一〇	二三	一三	
三九一	一一	九	六	九	一八	一一	二四	一四	秦攻宜陽，取六邑。
三九〇	一二	一〇	七	一〇	一九	一二	二五	一五	秦、晉戰於武城。齊伐取魏的襄陵。

三八九	一三	一一	八	一一	二〇	一三	二六	一六	秦侵魏。
三八八	一四	一二	九	一二	二一	一四	二七	一七	
三八七	一五	一三	一〇	一三	二二	一五	二八	一八	秦伐蜀，取南鄭。
三八六	一六	出子元	一一	文侯元	敬侯元	一六	二九	田和元	田和正式列爲諸侯（田齊）。魏襲趙都邯鄲。
三八五	一七	二	一二	二	二	一七	三〇	二	韓伐鄭，取陽城。韓伐宋，入彭城，執宋君。齊伐魯，破之。
三八四	一八	獻公元	一三	三	三	一八	三一	三	
三八三	一九	二	一四	四	四	一九	三二	田剡元	魏敗趙於兔臺
三八二	二〇	三	一五	五	五	二〇	三三	二	
三八一	二一	四	一六	六	六	二一	三四	三	齊、魏攻趙，楚伐魏救趙，飲馬於大河。楚悼王死，楚的宗室大臣殺吳起

西元前	周	秦	魏	韓	趙	楚	燕	齊	大事
三八〇	二二	五	一七	七	七	肅王元	三五	四	齊伐燕，取桑丘；三晉伐齊救燕
三七九	二三	六	一八	八	八	二	三六	五	趙襲衛，不克。
三七八	二四	七	一九	九	九	三	三七	六	三晉聯合伐齊，至於靈丘。狄敗魏于澮。
三七七	二五	八	二〇	一〇	一〇	四	三八	七	趙與中山戰於房子。
三七六	二六	九	二一	哀侯元	一一	五	三九	八	魏、韓、趙共分晉室餘邑絳與曲沃，韓改封晉孝公於端氏。趙伐中山，戰於中人。
三七五	烈王元	一〇	二二	二	一二	六	四〇	九	韓滅鄭，徙都於新鄭。
三七四	二	一一	二三	懿侯元	成侯元	七	四一	桓公元	齊田午弒其君剡自立。
三七三	三	一二	二四	二	二	八	四二	二	燕敗齊軍於林狐。

三七二	四	一三	二五	三	三	九	四三	三	趙伐衛，取都鄙七十二。
三七一	五	一四	二六	四	四	一〇	四四	四	魏伐楚，取魯陽。
三七〇	六	一五	惠王元	五	五	一一	四五	五	趙伐齊，至鄄。
三六九	七	一六	二	六	六	宣王元	桓公元	六	中山築長城以拒趙。宋司城子罕篡宋。韓、趙先後伐魏，魏擊敗韓於馬陵，擊敗趙於懷。
三六八	顯王元	一七	三	七	七	二	二	七	東、西周分治。
三六七	二	一八	四	八	八	三	三	八	
三六六	三	一九	五	九	九	四	四	九	秦敗韓、魏於洛陽。
三六五	四	二〇	六	一〇	一〇	五	五	一〇	魏伐宋，取儀臺。
三六四	五	二一	七	一一	一一	六	六	一一	秦敗魏於石門。

西元前	周	秦	魏	韓	趙	楚	燕	齊	大事
三六三	六	二二	八	一二	一二	七	七	一二	
三六二	七	二三	九	昭侯元	一三	八	八	一三	魏自安邑徙都大梁。秦攻魏少梁，虜魏將公叔痤。
三六一	八	孝公元	一〇	二	一四	九	文公元	一四	楚伐魯，取徐州。魏攻取趙的皮牢。
三六〇	九	二	一一	三	一五	一〇	二	一五	
三五九	一〇	三	一二	四	一六	一一	三	一六	秦孝公開始用衛鞅變法。
三五八	一一	四	一三	五	一七	一二	四	一七	秦敗韓於西山。
三五七	一二	五	一四	六	一八	一三	五	一八	宋攻取韓的黃池；魏取韓的朱。
三五六	一三	六	一五	七	一九	一四	六	威王元	魯、宋、衛、鄭朝於魏。齊、趙會於平陸。

三五五	一四	七	一六	八	二〇	一五	七	二	申不害相韓。
三五四	一五	八	一七	九	二一	一六	八	三	趙伐衛，魏攻趙救衛，進圍邯鄲秦攻取魏的少梁。
三五三	一六	九	一八	一〇	二二	一七	九	四	齊攻魏救趙，敗魏軍於桂陵，又與宋、衛進圍襄陵。
三五二	一七	一〇	一九	一一	二三	一八	一〇	五	秦圍魏安邑，安邑降秦。齊、宋、衛爲魏、韓所敗，襄陵圍解。
三五一	一八	一一	二〇	一二	二四	一九	一一	六	趙、魏盟於漳水上。
三五〇	一九	一二	二一	一三	二五	二〇	一二	七	秦自雍遷都於咸陽。
三四九	二〇	一三	二二	一四	肅侯元	二一	一三	八	楚發兵侵齊，趙救齊，楚罷兵而去。
三四八	二一	一四	二三	一五	二	二二	一四	九	
三四七	二二	一五	二四	一六	三	二三	一五	一〇	

西元前	周	秦	魏	韓	趙	楚	燕	齊	大事
三四六	二三	一六	二五	一七	四	二四	一六	一一	
三四五	二四	一七	二六	一八	五	二五	一七	一二	
三四四	二五	一八	二七	一九	六	二六	一八	一三	魏惠王大會十二諸侯於逢澤，並率諸侯朝周王於孟津。
三四三	二六	一九	二八	二〇	七	二七	一九	一四	魏遣龐涓與太子申攻韓，齊命田忌、孫臏伐魏救韓，大敗魏軍於馬陵。龐涓自殺，太子申被俘死。
三四二	二七	二〇	二九	二一	八	二八	二〇	一五	
三四一	二八	二一	三〇	二二	九	二九	二一	一六	秦、齊、趙聯合攻魏，秦將商鞅誘俘魏將公子卬，大破魏軍。魏割河西之地以和。
三四〇	二九	二二	三一	二三	一〇	三〇	二二	一七	秦孝公以於商十五邑封給衛鞅，號爲「商君」。
三三九	三〇	二三	三二	二四	一一	威王元	二三	一八	秦敗魏於岸門。

三三八	三一	二四	三三	二五	一二	二	二四	一九	秦孝王卒，商君以謀反罪被擒殺，並遭族滅。
三三七	三二	惠文王元	三四	二六	一三	三	二五	二〇	楚、韓、趙、蜀入朝於秦。
三三六	三三	二	三五	二七	一四	四	二六	二一	齊、魏會於阿南。
三三五	三四	三	三六	二八	一五	五	二七	二二	秦拔宜陽，旋仍歸於韓。
三三四	三五	四	惠王後元元	二九	一六	六	二八	二三	魏惠王與齊威王會於徐州相王。
三三三	三六	五	二	三〇	一七	七	二九	二四	楚軍大敗齊軍於徐州。
三三二	三七	六	三	宣惠王元	一八	八	易王元	二五	齊、魏伐趙。
三三一	三八	七	四	二	一九	九	二	二六	義渠內亂，秦派庶長操前往平定
三三〇	三九	八	五	三	二〇	一〇	三	二七	魏入少梁河西地於秦。

西元前	周	秦	魏	韓	趙	楚	燕	齊	大事
三二九	四〇	九	六	四	二一	一一	四	二八	張儀入秦為客卿。秦軍渡河，取魏的汾陰、皮氏、焦等地。
三二八	四一	一〇	七	五	二二	懷王 元	五	二九	宋王偃稱王。秦攻下魏的蒲陽。魏割上郡十五縣與秦。秦始設「相邦」，以張儀為相邦。
三二七	四二	一一	八	六	二三	二	六	三〇	義渠君向秦稱臣。秦將曲沃、焦歸還與魏。
三二六	四三	一二	九	七	二四	三	七	三一	
三二五	四四	一三	一〇	八	武靈 元	四	八	三二	秦惠王稱王（翌年改元）。齊敗趙於平邑。
三二四	四五	惠王後元 元	一一	九	二	五	九	三三	韓威侯與魏惠王會於巫沙，韓稱王。秦攻占魏的陝邑，並在上郡東境築城。
三二三	四六	二	一二	一〇	三	六	一〇	三四	魏相公孫衍發起五國（魏、趙、韓、燕、中山）相王。張儀與齊、楚、魏三國的相會於齧桑。張儀代惠施為魏相。楚遣柱國昭陽攻魏，破襄陵，取得八邑。

三二二	四七	三	一三	一一	四	七	一一	三五	秦取魏曲沃、平周。
三二一	四八	四	一四	一二	五	八	一二	三六	
三二〇	慎靚 元	五	一五	一三	六	九	王噲 元	三七	衛成侯自貶號爲「君」。
三一九	二	六	一六	一四	七	一〇	二	宣王 元	公孫衍爲魏相。
三一八	三	七	襄王 元	一五	八	一一	三	二	魏、韓、趙、楚、燕五國共伐秦，義渠起兵襲秦，敗秦軍於李昂。燕王噲將王位「禪讓」與其相子之。
三一七	四	八	二	一六	九	一二	四	三	齊、宋敗魏於觀澤。
三一六	五	九	三	一七	一〇	一三	五	四	秦遣張儀、司馬錯等滅蜀，繼滅苴與巴。
三一五	六	一〇	四	一八	一一	一四	六	五	秦封公子通爲蜀侯；又置巴郡，以張若爲郡守。秦伐義渠，取二十五城。燕大亂，太子平與將軍市被攻子之。

西元前	周	秦	魏	韓	趙	楚	燕	齊	大事
三一四	赧王元	一一	五	一九	一二	一五	七	六	燕子之反攻，太子平與市被都被擊殺；王噲也死於戰亂中。齊派匡章伐燕，破燕國。
三一三	二	一二	六	二〇	一三	一六	八	七	魏聯趙伐齊以存燕。
三一二	三	一三	七	二一	一四	一七	九	八	秦分蜀所屬的褒、漢之地，別置爲漢中郡。楚發兵擊秦，秦、齊合兵攻楚，殺楚將屈匄，秦占丹陽、漢中等地。趙武靈王召爲質於韓的燕公子職，立爲燕王，是爲燕昭王。秦再敗楚於藍田；韓、魏襲楚至於鄧。
三一一	四	一四	八	襄王元	一五	一八	昭王元	九	秦伐取楚的召陵。
三一〇	五	武王元	九	二	一六	一九	二	一〇	秦伐義渠、丹犂。
三〇九	六	二	一〇	三	一七	二〇	三	一一	秦初置左右丞相，分別以樗里疾、甘茂爲左右丞相。
三〇八	七	三	一一	四	一八	二一	四	一二	秦攻下韓的宜陽。

三〇七	八	四	一二	五	一九	二二	五	一三	趙略取中山地，至於房子。
三〇六	九	昭王元	一三	六	二〇	二三	六	一四	楚滅越，置爲江東郡。趙略中山地，至寧葭。
三〇五	一〇	二	一四	七	二一	二四	七	一五	趙攻入中山的丹丘、華陽等地，中山獻四邑以和。
三〇四	一一	三	一五	八	二二	二五	八	一六	秦、楚盟於黃棘，秦歸還所取楚上庸之地。
三〇三	一二	四	一六	九	二三	二六	九	一七	齊、韓、魏三國伐楚，秦遣客卿通救楚，三國退兵。
三〇二	一三	五	一七	一〇	二四	二七	一〇	一八	魏王與韓太子嬰會秦王於臨晉，因同朝秦。
三〇一	一四	六	一八	一一	二五	二八	一一	一九	秦與齊、韓、魏同伐楚，殺楚將唐昧。
三〇〇	一五	七	一九	一二	二六	二九	一二	湣王元	楚攻韓，圍雍氏。秦攻楚，殺楚將景缺。
二九九	一六	八	二〇	一三	二七	三〇	一三	二	秦伐楚，取八城。楚懷王被紿入秦，爲秦所羈。趙武靈王傳位於少子何（惠文王），自稱「主父」。

西元前	周	秦	魏	韓	趙	楚	燕	齊	大事
									趙攻略中山及胡地。齊孟嘗君田文入秦爲相。
二九八	一七	九	二一	一四	惠文王元	頃襄王元	一四	三	孟嘗君逃返齊國。齊聯韓、魏伐秦，攻入函谷關。
二九七	一八	一〇	二二	一五	二	二	一五	四	楚懷王自秦逃往趙，不見納，被追返於秦。
二九六	一九	一一	二三	一六	三	三	一六	五	趙滅中山，遷其王於膚施。趙武靈王封長子章於代，號爲安陽君。楚懷王死於秦。
二九五	二〇	一二	昭王元	釐王元	四	四	一七	六	趙公子章與其相田不禮作亂失敗，逃入沙丘宮託庇於主父。公子成與李兌殺公子章等，包圍沙丘宮，主父餓死。
二九四	二一	一三	二	二	五	五	一八	七	齊田甲劫齊王，孟嘗君出走，旋被召回。
二九三	二二	一四	三	三	六	六	一九	八	秦敗韓、魏軍於伊闕，斬首二十四萬，虜魏將公孫喜。
二九二	二三	一五	四	四	七	七	二〇	九	蘇秦銜燕昭王命使於齊。秦攻魏的垣城。

二九一	二四	一六	五	五	八	八	二一	一〇	秦攻拔楚的宛。
二九〇	二五	一七	六	六	九	九	二二	一一	魏入河東地四百里，韓入武遂地二百里於秦。
二八九	二六	一八	七	七	一〇	一〇	二三	一二	秦攻魏，拔城邑六十一。
二八八	二七	一九	八	八	一一	一一	二四	一三	秦攻取趙的梗陽。秦約齊同稱帝，秦爲西帝，齊爲東帝。齊取消帝號，合縱反秦。
二八七	二八	二〇	九	九	一二	一二	二五	一四	蘇秦、李兌發起五國（趙、齊、楚、魏、韓）伐秦，秦歸還一部侵地於趙、魏而罷兵。
二八六	二九	二一	一〇	一〇	一三	一三	二六	一五	齊滅宋，宋王偃出奔，死於魏。
二八五	三〇	二二	一一	一一	一四	一四	二七	一六	秦王、楚王會於宛，結和親。秦王、趙王會於中陽。
二八四	三一	二三	一二	一二	一五	一五	二八	一七	秦王與魏王會於西周，又與韓王會於新城；燕王入趙，與趙王相會。秦、趙、韓、魏、燕五國合縱之局告成。蘇秦死於齊（？）。燕以樂毅爲上將軍，率五國之師攻齊，入臨淄。齊湣王走死於莒。

西元前	周	秦	魏	韓	趙	楚	燕	齊	大事
二八三	三二	二四	一三	一三	一六	一六	二九	襄王 元	
二八二	三三	二五	一四	一四	一七	一七	三〇	二	秦攻趙，拔藺、祁兩城。
二八一	三四	二六	一五	一五	一八	一八	三一	三	秦攻趙，拔石城。
二八〇	三五	二七	一六	一六	一九	一九	三二	四	秦攻趙，取光狼。
二七九	三六	二八	一七	一七	二〇	二〇	三三	五	燕惠王中齊反間，改派騎劫爲將，樂毅奔趙。齊田單反攻，盡復七十餘城。 楚莊蹻入滇。 秦王與趙王會於澠池。 秦將白起攻楚，入鄢、郢、西陵
二七八	三七	二九	一八	一八	二一	二一	惠王 元	六	楚遷都於陳。
二七七	三八	三〇	一九	一九	二二	二二	二	七	秦拔楚的巫、黔中。 秦廢蜀侯國，置爲蜀郡。

二七六	三九	三一	安釐王元	二〇	二三	二三	三	八	秦伐魏，拔兩城。
二七五	四〇	三二	二	二一	二四	二四	四	九	秦攻魏至大梁。韓來救，爲秦所敗。魏與秦溫以和。
二七四	四一	三三	三	二二	二五	二五	五	一〇	秦再拔魏的蔡、中陽等四城。
二七三	四二	三四	四	二三	二六	二六	六	一一	魏與秦南陽以和。趙、魏合軍攻韓，秦派魏冉、白起等救韓，擊敗趙、魏聯軍於華陽，斬首十三萬。
二七二	四三	三五	六	桓惠王元	二七	二七	七	一二	義渠發生內亂，秦乘機伐滅義渠
二七一	四四	三六	六	二	二八	二八	武成王元	一三	范雎入秦。趙藺相如攻齊至平邑。
二七〇	四五	三七	七	三	二九	二九	二	一四	秦攻齊的剛壽。
二六九	四六	三八	八	四	三〇	三〇	三	一五	趙將趙奢大敗秦軍於閼與。
二六八	四七	三九	九	五	三一	三一	四	一六	秦伐魏，拔懷。

西元前	周	秦	魏	韓	趙	楚	燕	齊	大事
二六七	四八	四〇	一〇	六	三二	三二	五	一七	秦爲質於魏的悼太子死。
二六六	四九	四一	一一	七	三三	三三	六	一八	秦伐魏，取邢丘。秦王收魏冉相印，以范睢爲相，封爲應侯。
二六五	五〇	四二	一二	八	孝成王元	三四	七	一九	秦攻趙，連拔三城。齊出兵救趙，秦退軍。
二六四	五一	四三	一三	九	二	三五	八	王建元	秦攻韓，拔陘城等九城。
二六三	五二	四四	一四	一〇	三	三六	九	二	秦攻韓，取南陽，截斷韓上黨郡與國都新鄭之間的交通線。
二六二	五三	四五	一五	一一	四	考烈王元	一〇	三	楚以黃歇爲令尹，封春申君。
二六一	五四	四六	一六	一二	五	二	一一	四	楚伐魯，取徐州。秦派王齕攻上黨。上黨郡守馮亭率軍民歸於趙。趙派廉頗赴援，與秦軍相拒於長平。
二六〇	五五	四七	一七	一三	六	三	一二	五	趙王以趙括代廉頗爲將。秦大敗趙軍於長平，坑降卒四十萬人。

二五九	五六	四八	一八	一四	七	四	一三	六	秦軍進圍邯鄲。
二五八	五七	四九	一九	一五	八	五	一四	七	
二五七	五八	五〇	二〇	一六	九	六	孝王 元	八	魏信陵君、楚春申君分別率軍救趙，邯鄲圍解。秦將鄭安平降趙。秦將白起自殺。
二五六	五九	五一	二一	一七	一〇	七	二	九	秦滅西周，西周之民逃亡東周。楚滅魯。
二五五		五二	二二	一八	一一	八	三	一〇	秦以蔡澤代范睢爲相。秦攻韓，取南陽郡。
二五四		五三	二三	一九	一二	九	王喜 元	一一	秦攻韓，取十城。
二五三		五四	二四	二〇	一三	一〇	二	一二	
二五二		五五	二五	二一	一四	一一	三	一三	魏王殺衛懷君，改立元君。
二五一		五六	二六	二二	一五	一二	四	一四	燕派栗腹、慶秦率六十萬人攻趙，爲趙將廉頗、樂乘所敗，殺栗腹。趙軍乘勝進圍燕都。

西元前	周	秦	魏	韓	趙	楚	燕	齊	大事
二五〇		孝文王元	二七	二三	一六	一三	五	一五	趙再圍燕都。
二四九		莊襄王元	二八	二四	一七	一四	六	一六	燕王喜重禮割地向趙求和，趙軍解圍去。呂不韋爲秦相國。秦滅東周。
二四八		二	二九	二五	一八	一五	七	一七	秦將蒙驁擊趙，取榆次、新城、狼孟等三十七城。
二四七		三	三〇	二六	一九	一六	八	一八	秦攻拔韓的上黨。魏信陵君合諸侯之兵，擊破秦將蒙驁，逐敵直抵函谷關。
二四六		始皇元	三一	二七	二〇	一七	九	一九	秦拔趙的晉陽。
二四五		二	三二	二八	二一	一八	一〇	二〇	
二四四		三	三三	二九	悼襄王元	一九	一一	二一	趙以樂乘代廉頗爲將，廉頗奔魏。
二四三		四	三四	三〇	二	二〇	一二	二二	趙派李牧伐燕，拔武遂、方城。

二四二		五	景湣王元	三一	三	二一	一三	二三	秦將蒙驁取魏的酸棗等二十城，初置東部。
二四一		六	二	三二	四	二二	一四	二四	楚遷都於壽春。秦攻拔魏的朝歌。楚、魏、趙、韓、燕合縱伐秦，不勝。
二四〇		七	三	三三	五	二三	一五	二五	秦拔魏的汲。
二三九		八	四	三四	六	二四	一六	二六	秦嫪毐封長信侯。
二三八		九	五	王安元	七	二五	一七	二七	秦徙衛君於野王。秦嫪毐叛亂，始皇發兵平定。
二三七		一〇	六	二	八	幽王元	一八	二八	秦王罷呂不韋，以李斯爲相。楚李園殺春申君，專國政。
二三六		一一	七	三	九	二	一九	二九	秦拔趙的閼與、鄴等九城。
二三五		一二	八	四	王遷元	三	二〇	三〇	秦呂不韋飲酖而死。
二三四		一三	九	五	二	四	二一	三一	秦將桓齮攻趙的平陽、武城，殺趙將扈輒。韓派韓非使秦。

西元前	周	秦	魏	韓	趙	楚	燕	齊	大事
二三三		一四	一〇	六	三	五	二二	三二	趙將李牧大破秦將桓齮於肥，桓齮遁走。韓非死於秦。
二三二		一五	一一	七	四	六	二三	三三	趙將李牧大破秦軍於番吾。
二三一		一六	一二	八	五	七	二四	三四	韓、魏向秦獻地。
二三〇		一七	一三	九	六	八	二五	三五	秦派內史騰攻韓，俘韓王安，韓亡。
二二九		一八	一四		七	九	二六	三六	秦派王翦攻趙，趙使李牧、司馬尚領軍禦敵。趙王中秦反間，改派趙葱等爲將，並賜李牧死。
二二八		一九	一五		八	一〇	二七	三七	秦軍破邯鄲，虜趙王遷。趙人立公子嘉於代，號代王。楚哀王立三月，爲負芻所殺。
二二七		二〇	王假 元		代王嘉 元	王負芻 元	二八	三八	燕太子丹遣荊軻入秦刺秦王失敗
二二六		二一	二		二	二	二九	三九	秦伐楚，取十餘城。秦軍拔燕都薊，燕王喜逃遼東，並斬太子丹首以獻秦。

二二五		二三	三		三	三	三〇	四〇	秦將王賁伐魏，破大梁，俘魏王假，魏亡。
二二四		二四			四	四	三一	四一	秦將王翦大破楚軍於蘄，楚將項燕自殺。
二二三		二四			五	五	三二	四二	秦軍破壽春，虜王負芻，楚亡。
二二二		二五			六		三三	四三	秦將王賁攻下遼東，虜燕王喜，燕亡。王賁入代，俘代王嘉，代亡。
二二一		二六						四四	秦將王賁移軍南下攻齊，入臨淄，齊王建降，齊亡。秦盡滅六國，統一海內。

本書重要參考書目

書名	作者	版本或注本
史記	司馬遷	武英殿本（裴駰集解、司馬貞索隱、張守節正義、杭世駿等考證） 史記會注考證（日、瀧川資言）
戰國策	劉向集錄	姚宏、鮑注吳校諸家匯注本（臺灣里仁書局）
帛書戰國策		又名「戰國縱橫家書」（載「文物」一九七五年第四期）
竹書紀年		朱右曾：汲冢紀年存眞（新興書局） 王國維：古本竹書紀年輯校（世界書局）
雲夢大事記		（載「文物」一九七六年第六期）
漢書	班固	武英殿本（顏師古注） 王先謙：漢書補注（臺灣商務印書館）
華陽國志	常璩	（世界書局）
左傳	左丘明	春秋左傳正義（杜預注、孔穎達疏） 左傳會箋（日、竹添光鴻）
吳越春秋	趙曄	（世界書局）
資治通鑑	司馬光	胡三省音注（世界書局）
大事記	呂祖謙	文淵閣四庫影印本（臺灣商務印書館）
戰國紀年	林春溥	（世界書局）
周季編略	黃式三	（國防研究院）影印本

繹史（卷一〇一至一五〇）	馬　驌	影印金匱浦氏重修本（新興書局）
墨子		（世界書局諸子集成）
孟子		同　右
莊子		同　右
荀子		同　右
列子		同　右
商君書		同　右
公孫龍子		同　右
韓非子		同　右
呂氏春秋		同　右
淮南子		同　右
韓詩外傳	韓　嬰	（臺灣商務印書館）
新序	劉　向	（世界書局）
說苑	同　右	同　右
風俗通義	應　劭	王利器：風俗通義校注（明文書局）
史記志疑	梁玉繩	（新文豐書局）
七國考	董　說	（世界書局）
水經注	酈道元	（世界書局）